De la fuerza interna

Cómo descubrir tus fortalezas y superar tus límites

Daria Gałek

Tabla de Contenido

Capítulo 1. Introducción: Por qué es útil el desarrollo personal

"El hombre es la única criatura en la Tierra que puede decidir quién quiere ser."

- Stephen Covey

En la vida de cada uno de nosotros, hay momentos en los que nos preguntamos qué es lo que realmente deseamos lograr y quiénes queremos llegar a ser. A veces, nos falta la motivación, las ideas o el coraje para comenzar a actuar y hacer realidad nuestros sueños. Sin embargo, cada uno de nosotros posee el potencial para alcanzar el éxito y cumplir sus deseos más profundos.

¿Por qué es importante desarrollarse personalmente? ¿Por qué invertir tiempo en el desarrollo de habilidades, la adquisición de conocimientos y experiencia? La respuesta es sencilla: para convertirse en una mejor versión de uno mismo y disfrutar plenamente de la vida. El desarrollo personal es un proceso que nos permite mejorar nuestras habilidades, enriquecer nuestro intelecto y personalidad, y descubrir nuestras fortalezas y debilidades. También es una oportunidad para descubrir nuevas pasiones, intereses y formas de pasar nuestro tiempo libre.

En la actualidad, la formación continua y la expansión de nuestros conocimientos se han vuelto esenciales para hacer frente a un mundo dinámico y exigente. También son clave para el éxito en nuestra carrera profesional. Por lo tanto, es importante aprender constantemente cosas nuevas, leer libros y participar en formaciones o conferencias.

Uno de los mayores desafíos del desarrollo personal es enfrentar el estrés y los desafíos. En estos momentos, es esencial contar con herramientas que nos permitan reducir el estrés y encontrar la fuerza y la motivación para seguir adelante.

Por supuesto, es imposible tener éxito por uno mismo. Por eso es importante rodearse de personas que nos apoyen, nos motiven y nos inspiren. Gracias a ellos, podemos alcanzar nuestros objetivos y hacer realidad nuestros sueños.

Es precisamente por esta raz que este libro ha sido escrito, para ayudarte a alcanzar el éxito y hacer realidad tus sueños. En los capítulos siguientes, descubrirás cómo desarrollar tus habilidades, enfrentar el estrés y los desafíos, rodearte de personas que te respalden y alcanzar el éxito con una sonrisa. Porque, como dice el antiguo dicho: ¡riendo hacia el éxito, todo es posible!

La importancia del desarrollo personal para el bienestar general y la realización en la vida

El desarrollo personal, para algunos, puede parecer una expresión reservada a gurús y entrenadores, pero en realidad es algo que concierne a cada uno de nosotros. ¿Por qué deberíamos dedicar tiempo y energía a nuestro desarrollo personal? Ante todo, para nuestro bienestar general y nuestra realización en la vida.

Aunque muchas personas se centran en el desarrollo profesional, el desarrollo personal también abarca otros aspectos de la vida. Se trata de desarrollar habilidades y adquirir conocimientos en áreas que nos interesan, al tiempo que cuidamos de nuestra salud física y emocional.

Cada uno de nosotros tiene objetivos y sueños, y el desarrollo personal es una herramienta que nos acerca a su realización. Cuando dedicamos tiempo a desarrollarnos en áreas que nos apasionan, fortalecemos nuestra confianza en nosotros mismos, lo que conduce a una mayor satisfacción en la vida y un mayor sentido de logro.

No se trata de convertirse en otra persona, sino más bien de descubrir nuestro potencial y aprender a utilizarlo de manera más eficaz. El desarrollo personal es un proceso continuo que nos permite crecer y cambiar de manera positiva.

¿Por qué invertir en el desarrollo personal? Porque conlleva numerosos beneficios, como una mayor confianza en uno mismo, mejores relaciones con los demás, mayor creatividad y la capacidad de afrontar el estrés y los desafíos de la vida. Todo esto contribuye a nuestro bienestar general y a nuestra realización en la vida.

El desarrollo personal es esencial para alcanzar el éxito, pero también para hacer frente a las dificultades y desafíos de la vida. Todos nos enfrentamos a situaciones difíciles, como problemas en el trabajo, crisis en las relaciones o problemas de salud. Sin embargo, el desarrollo personal nos permite aprender a afrontar estas situaciones de manera más efectiva.

Cuando desarrollamos nuestras habilidades, descubrimos nuevas formas de pensar y actuar que nos ayudan a lidiar mejor con las dificultades y a alcanzar nuestros objetivos. Además, el desarrollo personal nos ayuda a fortalecer nuestra resiliencia mental, lo cual es especialmente importante en situaciones estresantes.

Además, el desarrollo personal puede llevar a mejores relaciones con los demás. Cuando dedicamos tiempo a desarrollar nuestra empatía y habilidades de comunicación, somos mejor comprendidos por los demás y comprendemos mejor sus necesidades. Esto contribuye a relaciones más armoniosas, tanto a nivel personal como profesional.

También es importante señalar que el desarrollo personal no necesariamente conduce a la perfección. Nadie es perfecto y siempre hay espacio para mejorar. Más bien, se trata de desarrollarnos de manera consciente y sistemática para alcanzar nuestros objetivos y disfrutar de la vida.

Así que el desarrollo personal es una inversión en nosotros mismos y en nuestros futuros éxitos. Dedicar tiempo y energía a este proceso puede aportar numerosos beneficios, tanto para nosotros mismos como para nuestras relaciones con los demás.

Las habilidades que debes desarrollar para convertirte en una mejor versión de ti mismo

Ya eres una persona maravillosa, ¡pero ¿no te gustaría ser aún mejor? ¡Claro que sí! Para lograrlo, es útil comenzar desarrollando ciertas habilidades. No te preocupes, ¡no necesitas superpoderes extravagantes!

En primer lugar, es esencial desarrollar tu habilidad de comunicación. ¿Por qué? Porque una buena comunicación es la clave del éxito en la vida personal y profesional. Saber expresar claramente tus pensamientos e ideas, así como la capacidad de escuchar atentamente a los demás, pueden ayudarte a establecer relaciones sólidas, construir confianza y alcanzar tus metas.

Para desarrollar tu habilidad de comunicación, es útil comenzar por comprender qué es una buena comunicación. Una buena comunicación implica no solo transmitir información de manera clara y efectiva, sino también escuchar atentamente, comprender el contexto en el que te encuentras y adaptar tu comunicación a las necesidades y expectativas de tu interlocutor.

Puedes aprender esto de varias maneras. La lectura de libros sobre comunicación te ayudará a comprender los conceptos y principios fundamentales, así como a proporcionarte consejos prácticos. Participar en cursos o capacitaciones en comunicación te proporcionará experiencia práctica y retroalimentación de un instructor. También puedes practicar tu comunicación al interactuar con personas y esforzarte por comprender mejor su perspectiva.

No hay una única forma de desarrollar tu habilidad de comunicación, pero cada esfuerzo vale la pena. A medida que te desarrolles, comprenderás mejor no solo a ti mismo, sino también a los demás, lo que puede ayudarte a establecer mejores relaciones y alcanzar el éxito, tanto en tu vida personal como profesional.

Otra habilidad importante es la gestión del tiempo. Si eres alguien que siempre llega tarde y tiene dificultades para completar sus tareas, es útil dedicar tiempo a aprender a planificar tu tiempo y organizar tu trabajo. Esto realmente puede hacerte más organizado y eficiente. La gestión del tiempo es una de las habilidades más importantes que todos deben desarrollar si desean ser eficientes y productivos en su trabajo. Si pospones constantemente tareas importantes, decisiones cruciales o siempre llegas tarde, es probable que tengas problemas de gestión del tiempo.

Una de las formas más efectivas de mejorar la gestión del tiempo es aprender a planificar. Puedes aprender a crear listas de tareas, establecer prioridades y establecer metas realistas junto con plazos para alcanzarlas. También puedes utilizar varias herramientas de gestión del tiempo, como calendarios, aplicaciones o programas que te ayudarán a mantener un registro de tus tareas y plazos.

Un aspecto importante de la gestión del tiempo es la organización del trabajo. Puedes comenzar por pensar en cuáles son tus horas más productivas durante el día y planificar tu trabajo en consecuencia. También puedes establecer horarios regulares de trabajo y tiempo libre para mantener un equilibrio entre el trabajo y la vida personal.

No olvides tomar descansos. Los descansos regulares, incluyendo pequeños paseos o ejercicio, pueden ayudarte a mantener la concentración y la energía a lo largo del día. En última instancia, mejorar tu gestión del tiempo puede tener un impacto positivo en tu vida, ayudarte a alcanzar tus metas y fortalecer tu sensación de control sobre tu tiempo.

Otra habilidad valiosa es la capacidad de trabajar en equipo. Bueno, puedes hacer muchas cosas por ti mismo, ¡pero juntos es aún mejor! Es por eso que es útil desarrollar la habilidad de trabajar en equipo. Esto puede ser una oportunidad para conocer a personas nuevas que compartan tus intereses y objetivos. Y quién sabe, ¡podrías formar un equipo excepcional que cree algo extraordinario y que impresione al mundo entero! Para que esto no sea solo un sueño, es útil buscar oportunidades para trabajar en equipo y desarrollar tus habilidades a través de entrenamientos y cursos.

¡Nada como cuidar de uno mismo, verdad? En lo que respecta a tu salud física y emocional, realmente vale la pena invertir tiempo en desarrollar estas habilidades. Si tiendes a quedarte en el sofá y pasar la mayor parte del día en las redes sociales, ¡es hora de cambiar! Comienza con pequeños pasos, como caminatas diarias, que te ayudarán no solo a cuidar tu salud, sino también a alejarte de la pantalla y relajarte.

Si quieres sentirte aún mejor, considera probar el yoga u otra forma de ejercicio. No solo es una excelente manera de fortalecer tu cuerpo, sino también de calmar tu mente y aumentar tu flexibilidad. Y si necesitas ayuda para gestionar el estrés y las dificultades emocionales, la meditación y la atención plena pueden ser una solución ideal.

Recuerda que cuidar de tu salud física y emocional es una inversión en ti mismo y en tu futuro. Puedes comenzar haciendo pequeños cambios en tu vida diaria y gradualmente incorporarlos para obtener beneficios a largo plazo para tu salud y bienestar.

Por supuesto, cada uno de nosotros puede desarrollarse de muchas maneras y alcanzar nuevos objetivos. Sin embargo, la clave no solo radica en el tiempo y la energía dedicados al aprendizaje, sino también en la perseverancia y la búsqueda constante de esos objetivos. Con el tiempo, los pequeños pasos conducen a grandes logros, y el desarrollo de las habilidades adecuadas puede darte la fuerza y la confianza necesarias para lograr tus sueños. Entonces, ¡no dudes en comenzar hoy mismo, porque cada día es una oportunidad para convertirte en una mejor versión de ti mismo!

Los beneficios del aprendizaje continuo y la ampliación de tus conocimientos

Los beneficios del aprendizaje continuo y la ampliación de tus conocimientos son numerosos. Aquí tienes algunos de los beneficios:

1. Aumento de tu nivel de habilidad y atractivo en el mercado laboral

Si sientes que tu carrera se estanca, considerar la adquisición de nuevas habilidades y conocimientos puede ayudarte a demostrar una mayor competencia en tu trabajo, lo que aumentará tus oportunidades de avance. Como dice un viejo proverbio polaco, "el conocimiento es poder". Si una promoción significa más dinero y un mejor puesto, ¿por qué no aprovechar esa oportunidad? En un nuevo cargo, podrás destacar tus nuevos conocimientos y habilidades, y demostrar que mereces esa nueva posición.

2. Poseer una amplia gama de habilidades y conocimientos que agregan prestigio y valor como empleado o empleador

Al ampliar tus conocimientos y habilidades en tu campo, puedes abordar tus tareas de manera más organizada y eficiente. Esto puede ayudarte a aumentar tu productividad, a lograr más en menos tiempo y con menos estrés. Los conocimientos y habilidades adquiridos también te ayudarán a lidiar mejor con problemas y desafíos en tu trabajo. Puedes encontrar formas innovadoras de resolver problemas y acelerar tu progreso en tu carrera. Además, cuando otros ven que estás constantemente desarrollando tus habilidades, pueden considerarte un empleado valioso, lo que podría resultar en una promoción o un aumento de sueldo.

3. Creatividad e innovación para destacar

La ampliación de tus conocimientos y experiencia te abre nuevas oportunidades y perspectivas, lo que puede ayudarte a desarrollar tu creatividad y espíritu innovador. Puedes comenzar a pensar de manera más flexible e innovadora, lo que te permitirá resolver problemas de manera más eficaz y afrontar nuevos desafíos. La creatividad es una habilidad valiosa buscada por los empleadores y puede ayudarte a destacar entre los demás. Además, el desarrollo de la creatividad es muy gratificante, ya que te permite crear algo nuevo y único.

4. Mejora de las capacidades cognitivas como el pensamiento lógico y la resolución de problemas

El aprendizaje continuo y la ampliación de tus conocimientos pueden ayudar a mejorar tus capacidades cognitivas, como el pensamiento lógico y la resolución de problemas. Cuanto más aprendas y practiques tus habilidades, más flexible te volverás en tu forma de pensar y más capaz serás de enfrentar situaciones difíciles. Al desarrollar tus capacidades cognitivas, puedes aprender a pensar de manera más compleja, lo que te ayudará a resolver problemas y tomar decisiones más reflexivas. En última instancia, poseer sólidas capacidades cognitivas puede beneficiarte tanto en tu vida cotidiana como en tu carrera, dándote una ventaja sobre los demás y permitiéndote alcanzar un mayor éxito.

5. Adquirir nuevas habilidades útiles en la vida cotidiana

El aprendizaje continuo y la adquisición de nuevas habilidades, como cocinar, bricolaje, programación o incluso baile, pueden ser útiles en tu vida cotidiana. ¿Quién sabe cuándo tendrás que arreglar una tubería rota en el baño o diseñar tu propia casa? Y si de repente invitas a la persona de tus sueños a una cita, ¡tus habilidades de baile serán definitivamente útiles! Por lo tanto, vale la pena continuar aprendiendo y adquiriendo nuevas habilidades, ya que nunca se sabe cuándo serán necesarias.

6. Aumento de la autoestima y el valor personal

El aprendizaje continuo y la ampliación de tus conocimientos pueden aumentar tu autoestima y tu valor personal. Al aprender cosas nuevas y desarrollar tus habilidades, ganas confianza y la convicción de que puedes lograr más en la vida. Esto puede influir en tu actitud hacia ti mismo y hacia los demás, así como en tus relaciones con las personas. Puedes sentirte más satisfecho con tu vida y más seguro de tu lugar en el mundo. Y si alguien te pregunta qué haces en tu tiempo libre, ¡puedes decir con orgullo: "Estoy aprendiendo cosas nuevas y desarrollando mis habilidades!"

7. Adquirir el conocimiento necesario para crear tu propio negocio o desarrollar tu carrera

El aprendizaje continuo y el desarrollo de tus conocimientos y habilidades pueden ayudarte a crear y dirigir tu propio negocio, así como a desarrollar tu carrera. Por ejemplo, adquirir conocimientos en marketing, gestión financiera o planificación estratégica puede ayudarte a administrar un negocio eficiente y rentable. Por otro lado, adquirir nuevas habilidades, como el conocimiento de software de diseño gráfico, diseño web o programación, puede ayudarte a avanzar en tu carrera en campos como la informática o el diseño gráfico. Los conocimientos y habilidades adquiridos a través del aprendizaje continuo pueden ayudarte a tener éxito profesionalmente y a cumplir tus sueños de crear tu propio negocio.

8. Obtener nuevas perspectivas y horizontes para comprender mejor el mundo

Cada uno de nosotros tiene su propia visión del mundo, pero el aprendizaje continuo y la adquisición de nuevas habilidades te permiten ver las cosas desde diferentes perspectivas. Esto puede ayudarte a comprender mejor diferentes culturas, a abordar problemas y desafíos de manera nueva y a desarrollar tu empatía y comprensión de los demás. Obtener nuevas perspectivas y horizontes también puede ayudarte a tomar decisiones más acertadas, ya que dispones de un abanico más amplio de conocimientos y puntos de vista. En última instancia, el aprendizaje continuo no solo te beneficia en el trabajo y la vida cotidiana, sino que también contribuye a tu desarrollo personal y madurez.

9. Aumentar tu factor "wow" a los ojos de los demás

Ampliar tus conocimientos y habilidades, junto con el desarrollo de tus pasiones e intereses, te convierte en una persona más interesante. Puedes hablar sobre temas emocionantes, compartir tus conocimientos y experiencias, lo que seguramente atraerá la atención de los demás. También puedes establecer nuevas relaciones basadas en intereses y pasiones compartidas, lo que te brinda la oportunidad de establecer relaciones enriquecedoras. Por lo tanto, vale la pena dedicar tiempo al desarrollo de tus intereses y pasiones para aumentar tu valor a los ojos de los demás y crear relaciones valiosas con personas que comparten tus intereses.

Recuerda que el aprendizaje continuo es una aventura que nunca termina y puede ofrecer innumerables beneficios en muchos aspectos de tu vida. Así que sigue aprendiendo y ampliando tus conocimientos, ¡porque el mundo está lleno de emocionantes descubrimientos que te esperan!

Cómo enfrentar el estrés y los desafíos que surgen durante el desarrollo personal

El estrés y los desafíos son parte de nuestra vida, especialmente durante el proceso de desarrollo personal. No existe una receta única para manejarlos, pero con la ayuda de los siguientes consejos, puedes gestionarlos de manera más efectiva.

1. No te lo tomes todo demasiado en serio

A veces, creamos nuestros propios problemas y nos estresamos en exceso. En ocasiones, simplemente debemos dar un paso atrás y abordar una situación con humor para encontrar un aspecto positivo.

Tomar la vida demasiado en serio puede convertirse en una fuente constante de estrés y frustración. Por eso es importante aprender a abordar las situaciones difíciles con ligereza y sentido del humor. Esto puede ayudarte a ver el problema en un contexto más amplio y encontrar los aspectos positivos de la situación en lugar de centrarte solo en los aspectos negativos.

No tiene sentido estresarse en exceso, ya que el estrés puede tener efectos negativos en nuestra salud y bienestar. Por lo tanto, es útil aprender técnicas de relajación, como la meditación, el yoga o simples ejercicios de respiración que pueden ayudarte a reducir la tensión y aumentar la sensación de calma.

También es importante centrarse en nuestras fortalezas y logros en lugar de concentrarse constantemente en nuestras debilidades. A menudo, nos enfocamos únicamente en lo que aún no hemos logrado o en lo que nos falta en lugar de disfrutar de lo que ya hemos logrado. Encontrar satisfacción en los pequeños logros puede ayudar a reducir el estrés y fortalecer la motivación para el desarrollo personal.

Recuerda que no todo tiene que ser perfecto. Algunos errores y fracasos pueden resultar ser los mejores maestros, ayudándonos a conocernos mejor y reconocer nuestras fortalezas. Por lo tanto, es útil considerar las situaciones difíciles como oportunidades de aprendizaje y desarrollo en lugar de obstáculos a superar.

2. Hacer ejercicio

El ejercicio regular es uno de los mejores métodos para enfrentar el estrés y los desafíos que surgen durante el desarrollo personal. El ejercicio físico regular ayuda a liberar endorfinas, que son antidepresivos naturales. Es por eso que incluso una pequeña actividad física, como dar un paseo diario, puede mejorar significativamente nuestro bienestar y ayudarnos a combatir el estrés.

Es importante encontrar una forma de actividad física que nos convenga y con la que estemos contentos de practicar regularmente. No a todos les gusta correr o entrenar en un gimnasio. Existen muchas otras formas de actividad física, como el yoga, el pilates, la natación, el baile o el senderismo, que también mejoran la salud física y mental.

Recuerda que no es necesario gastar una fortuna en equipo deportivo o membresías de gimnasio. Muchos ejercicios se pueden realizar en casa o al aire libre, y puedes encontrar numerosos entrenamientos gratuitos en línea. Lo más importante es que la actividad física sea placentera y forme parte de tu rutina diaria.

3. Cuida tus relaciones con los demás

Las relaciones con otras personas son muy importantes para nuestro bienestar y desarrollo personal. Por lo tanto, es importante cuidar de ellas y dedicarles tiempo y atención. En momentos difíciles, es útil buscar el apoyo de tus seres queridos, ya sea familia, pareja, amigos o un mentor. No dudes en pedir ayuda cuando la necesites y expresa tu gratitud por lo que los demás hacen por ti. A veces, una breve conversación puede ser suficiente para sentirte mejor y encontrar una solución a un problema. También es útil ayudar a los demás cuando tienes dificultades, ya que ayudar a los demás puede ser una excelente manera de reducir el estrés y aumentar tu autoestima.

4. Asume gradualmente los desafíos

A menudo, deseamos ver resultados rápidos en nuestro desarrollo personal, lo que conlleva frustración y estrés. Es importante establecer pequeños objetivos y logros que podamos alcanzar fácilmente. Las tareas que son demasiado difíciles o requieren un gran esfuerzo físico o mental pueden llevar al fracaso y a sentirnos desanimados. Comencemos con pequeños pasos y éxitos, y luego aumentemos gradualmente el nivel de dificultad hasta alcanzar nuestros objetivos establecidos.

Es importante recordar que el desarrollo personal es un proceso largo que requiere tiempo y paciencia. No es necesario apresurarse y tratar de lograr todo de una vez. Enfrentemos gradualmente los desafíos, y con el tiempo, verás cómo tus habilidades se desarrollan y cómo te vuelves más competente en lo que haces.

5. No temas cometer errores

Recuerda que todos cometen errores, incluso aquellos que han logrado mucho en la vida. Es importante aprender a aceptar nuestros errores y aprender de ellos en lugar de evitarlos. No tiene sentido preocuparse demasiado por los errores o darles vueltas. En su lugar, reflexiona sobre lo que puedes hacer para evitar una situación similar en el futuro. No olvides que cometer un error no significa que seas inferior a los demás o que no alcanzarás tus objetivos. Es simplemente parte del proceso de aprendizaje y desarrollo. No tengas miedo de enfrentar nuevos desafíos y experimentar, ya que en esos momentos puedes cometer errores, pero también alcanzar el éxito.

Recuerda que el estrés y los desafíos son una parte de la vida de todos, pero es posible aprender a manejarlos. Solo necesitas adoptar una actitud relajada, ser activo, cuidar tus relaciones con los demás y no temer a cometer errores.

Por qué es importante rodearse de personas que nos apoyen y nos motiven en el desarrollo personal

¡Por supuesto que es importante tener personas a nuestro alrededor que nos apoyen y nos motiven en nuestro desarrollo personal! Es un poco como un brote que necesita su envoltura para desarrollarse adecuadamente. Sin esa envoltura, se desmoronaría, al igual que podríamos dispersarnos en diferentes direcciones sin el apoyo de otros, sin saber qué hacer con nuestras vidas.

Cuando estamos rodeados de personas que nos respetan y aprecian, nos sentimos más seguros y motivados. Son nuestros seres queridos, amigos, mentores u otras personas inspiradoras quienes nos brindan la motivación necesaria para avanzar y alcanzar nuestros objetivos. Son nuestros seguidores y entrenadores, alentándonos cuando las cosas se ponen difíciles. Sin su apoyo, seríamos como una rueda de bicicleta, sin esa rueda que es el motor, no podríamos avanzar.

Por otro lado, la compañía de personas negativas, crueles o indiferentes a nuestras necesidades puede desanimarnos y debilitar nuestra voluntad de actuar. Por eso es importante cultivar relaciones con personas que nos inspiran y motivan. A veces, una simple conversación con alguien cercano puede hacernos sentir mejor y más motivados para actuar. Cuando necesitamos ayuda más avanzada, es útil buscar mentores que nos ayuden a desarrollar nuestras habilidades y conocimientos.

Además, rodearnos de personas positivas y ambiciosas nos brinda la oportunidad de observar y aprender de ellos. Al ver cómo otros enfrentan las dificultades, podemos inspirarnos y encontrar nuevas ideas para nuestro propio desarrollo. En última instancia, es a través de nuestras relaciones con las personas que nos rodean que obtenemos la energía necesaria para hacer realidad nuestros sueños y objetivos.

Cuando nos rodeamos de personas cercanas que nos apoyan, nos sentimos más aceptados y valorados. Esto tiene un impacto positivo en nuestra autoestima y nos ayuda a lidiar mejor con las dificultades. Con nuestros seres queridos, podemos compartir nuestros éxitos, pero también nuestros fracasos, lo que nos brinda la oportunidad de aprender algo nuevo y mejorar nuestras habilidades.

En el entorno de personas que nos motivan e inspiran, también podemos salir más fácilmente de nuestra zona de confort y probar algo nuevo. Después de todo, es gracias a las personas que nos apoyan que podemos adquirir la confianza y el coraje necesarios para perseguir nuestros sueños.

Entonces, no tengamos miedo de buscar personas que nos apoyen y nos motiven. A veces, basta con dar pequeños pasos y buscar relaciones positivas en nuestro entorno inmediato. Son ellas las que nos permiten crecer y alcanzar nuestros objetivos!

Ejercicio práctico

Ejercicio 1. Crea una lista de personas que te inspiran

Reflexiona sobre quiénes son una fuente de inspiración, motivación y energía positiva para ti. Pueden ser personas de tu entorno, figuras públicas, científicos, atletas, artistas, así como personas que hayas conocido en la vida y que te hayan dejado una impresión positiva. Haz una lista de tales personas y trata de determinar qué te inspira en ellas.

Aquí tienes algunas preguntas que pueden ayudarte a crear una lista de personas inspiradoras:

• ¿Quién es un modelo a seguir para mí y por qué?

• ¿A quién admiro por su actitud, habilidades o logros?

• ¿Quién me impulsa a actuar y a superar mis límites?

• ¿Con quién te gustaría encontrarte y hablar sobre tu desarrollo personal?

• ¿Hay personas que me inspiran en diferentes áreas de mi vida, como mi carrera, mi salud, mis relaciones interpersonales, etc.?

• ¿Qué rasgos de carácter o habilidades tienen las personas que considero inspiradoras?

• ¿Qué puedo aprender de las personas que me inspiran para convertirme en una mejor versión de mí mismo?

• ¿Qué pasos puedo tomar para conocer a las personas que me inspiran y rodearme de su energía positiva?

Ejercicio 2. Encuentra un grupo de apoyo

Reflexiona sobre quiénes en tu entorno pueden formar un grupo de apoyo para ti. Pueden ser tu familia, amigos, compañeros de trabajo o de escuela, así como personas con intereses similares con las que puedas ponerte en contacto en línea o fuera de línea.

Aquí tienes algunas preguntas que te ayudarán a encontrar un grupo de apoyo:

• ¿Quién en mi entorno es importante para mí y está dispuesto a ayudarme?

• ¿Quién me conoce mejor y puede ayudarme en momentos difíciles?

• ¿Existen grupos o asociaciones relacionados con mis intereses o metas que deseo alcanzar?

• ¿Hay grupos de apoyo locales o en línea para personas con experiencias o desafíos similares?

• ¿Tengo compañeros de trabajo o compañeros de escuela con los que puedo discutir mis problemas o metas?

• ¿Existen grupos en redes sociales o foros en línea en los que pueda ponerme en contacto con personas que comparten intereses o metas similares?

Después de encontrar un grupo de apoyo, intenta mantener un contacto regular con él, comparte tus experiencias y problemas, y pide ayuda y apoyo para alcanzar tus metas. Esto te ayudará a conocer a nuevas personas, desarrollar tus habilidades y motivarte a seguir avanzando.

Ejercicio 3. Hazte la pregunta: '¿Qué relaciones quiero tener en mi vida?'

• Siéntate cómodamente e imagina tu vida dentro de 5, 10 o 20 años. ¿Qué relaciones te gustaría tener en ese momento?

• Piensa en las características que deberían tener las personas con las que deseas tener relaciones cercanas. ¿Deben ser personas sinceras, leales, serviciales, interesantes, abiertas?

• Anota en un papel o en una aplicación de toma de notas los nombres de las personas con las que te gustaría mantener relaciones cercanas, como familia, amigos, pareja, mentor, guía espiritual, etc.

• Considera la frecuencia y la forma en que te gustaría mantener el contacto con cada una de estas personas. Puede ser reuniones regulares una vez por semana, llamadas telefónicas cada pocos días o correspondencia por correo electrónico una vez al mes.

• Piensa en los beneficios de estas relaciones. ¿Te ayudan a crecer? ¿Te brindan apoyo emocional? ¿Tienen un impacto positivo en tu bienestar?

• Trabaja en desarrollar estas relaciones, llama a las personas con las que deseas mantener una estrecha relación, programa citas con ellas, escríbeles un mensaje expresando tu amistad y respeto.

• No olvides cuidar estas relaciones, actuar de manera proactiva, expresar tus sentimientos y necesidades, escuchar a los demás y mostrar interés en ellos.

Resumen

- El desarrollo personal es un proceso continuo que nos permite adquirir nuevas habilidades, desarrollar nuestras pasiones e intereses, y alcanzar nuestros objetivos.

- En la actualidad, el desarrollo personal es particularmente importante ya que nos ayuda a enfrentar los rápidos cambios en el mundo y a prosperar tanto en nuestro trabajo como en nuestra vida personal.

- Hay muchas formas de fomentar el crecimiento personal, como leer libros, escuchar podcasts, asistir a capacitaciones o practicar la meditación.

- Un activo fundamental en el desarrollo personal son nuestras fortalezas, es decir, los talentos y habilidades que ya poseemos y que podemos utilizar para alcanzar nuestros objetivos.

- Encontrar un grupo de apoyo, es decir, personas con intereses y objetivos similares, también puede ayudarnos en nuestro desarrollo personal al intercambiar conocimientos y experiencias, y motivarnos a tomar acción.

- En resumen, el desarrollo personal es esencial para nuestra autoaceptación, crecimiento y felicidad en la vida, y cada uno de nosotros puede encontrar formas de mejorarse constantemente y perfeccionar sus habilidades.

Capítulo 2. Descubre tus fortalezas: Cómo identificar tus talentos y utilizarlos en la vida cotidiana

"La persona que ha descubierto sus talentos es como la persona que ha

encontrado su camino. Sabe a dónde va y está feliz con su vida."

- Ken Robinson

Bienvenido a otro capítulo del libro. En esta ocasión, hablaremos sobre cómo identificar tus talentos y utilizarlos en tu vida diaria. Muchos de ustedes ya saben que cada uno de nosotros posee fortalezas que nos distinguen de los demás. Sin embargo, ¿alguna vez te has preguntado cuáles son esos talentos y cómo puedes aprovecharlos para alcanzar tus metas?

Hoy en día, en un mercado laboral altamente competitivo, es importante saber qué te hace destacar y cómo puedes utilizarlo para tener éxito. Pero no se trata solo de trabajo: al descubrir tus talentos, puedes comprender mejor lo que te brinda alegría y lo que te gustaría hacer en la vida para ser feliz.

Es por eso que, en este capítulo, discutiremos cómo puedes descubrir tus talentos y los beneficios que esto puede aportar. También hablaremos sobre métodos y herramientas que te ayudarán en este proceso. ¿Estás listo? ¡Entonces empecemos!

Por qué es importante conocer tus fortalezas y los beneficios que conlleva

Bueno, es hora de hacer una pregunta seria: ¿conoces tus fortalezas? Porque yo conozco las mías. Por ejemplo, soy un campeón comiendo pizza y siempre encuentro tiempo para relajarme en el sofá viendo series. Pero en serio, descubrir tus fortalezas es la clave del éxito en la vida.

La capacidad de desarrollar tus talentos y habilidades puede aportarte muchos beneficios, tanto en tu vida profesional como personal.

Tomemos el ejemplo de María, quien trabajó como contadora durante muchos años pero nunca estuvo satisfecha con su trabajo. Se sentía competente, pero no le brindaba alegría. Un día, un amigo la invitó a un taller de cerámica donde debían crear sus propias obras de arte en arcilla. María estaba inicialmente escéptica, pero decidió probar. Resultó que hacer cerámica la llenaba de felicidad y satisfacción. De regreso en casa, María comenzó a dedicar cada vez más de su tiempo libre a trabajar con arcilla y a participar en talleres. Finalmente, decidió renunciar a su trabajo como contadora para abrir su propio taller de cerámica, donde ahora crea hermosas obras de arte y es feliz con lo que hace. Esta historia demuestra que a veces solo se necesita una experiencia fortuita para descubrir tus talentos y embarcarte en el camino que realmente te llena.

Conocer tus fortalezas puede ayudarte, en primer lugar, a elegir una dirección profesional y tomar decisiones sobre lo que deseas hacer en la vida. Cuando sabes en qué eres bueno, puedes enfocar tus esfuerzos en desarrollar esas habilidades y convertirte en un experto en tu campo.

El conocimiento de tus fortalezas también puede ayudarte a lidiar con el estrés, ya que proporciona una mejor comprensión de tu estilo de trabajo y enfoque en diferentes tareas. Cuando sabes en qué destacas, puedes planificar tus tareas y objetivos en función de esas fortalezas, lo que te permite obtener mejores resultados con menos esfuerzo. También puedes evitar situaciones que pondrían a prueba tus debilidades y concentrarte en lo que haces mejor. Esto también te brinda confianza y una mentalidad positiva, lo que te ayuda a manejar el estrés y la tensión.

Además, los beneficios de conocer tus fortalezas también incluyen una mayor autoconfianza y autoestima. Cuando sabes que eres hábil en un área, te sientes más seguro en tus habilidades y enfrentas los desafíos con un optimismo renovado.

Otra ventaja de conocer tus fortalezas es la posibilidad de comprender mejor tus debilidades. Cuando sabes en qué sobresales, es más fácil identificar las áreas en las que aún debes trabajar para mejorar. El conocimiento de tus fortalezas puede ayudarte a determinar qué habilidades debes desarrollar para alcanzar tus objetivos.

Descubrir tus fortalezas y enfocarte en ellas puede conducir a una vida más satisfactoria. Cuando haces lo que amas y en lo que eres mejor, obtienes mejores resultados y te sientes más realizado y satisfecho contigo mismo. Descubrir nuevas pasiones e intereses también puede llevar a descubrimientos fascinantes, revelación de nuevos talentos y habilidades, lo que puede ser una fuente de inspiración y motivación.

El conocimiento de tus fortalezas también puede ayudarte en tu desarrollo personal y la mejora continua de tus habilidades. Cuando sabes en qué destacas, puedes concentrarte en desarrollar otros aspectos de tu vida en los que sientas que se necesitan mejoras. Por ejemplo, puedes optar por tomar un curso o capacitación para adquirir nuevas habilidades y fortalecer aún más tus fortalezas.

Finalmente, descubrir tus fortalezas puede llevar a una actitud más positiva y una visión de la vida más optimista. Cuando te centras en tus fortalezas, comienzas a ver tu vida a través del prisma de tus éxitos en lugar de tus fracasos. Esto puede conducir a una mayor confianza en ti mismo y una actitud positiva hacia los desafíos y oportunidades futuras.

Como puedes ver, conocer tus fortalezas es clave para el éxito y la satisfacción en la vida. Entonces, no tengas miedo de mirarte profundamente y descubrir tus talentos. Sin embargo, recuerda que no es necesario ser perfecto en todo, cada uno de nosotros tiene fortalezas y debilidades, pero lo que hacemos con nuestras fortalezas puede marcar la diferencia en nuestra vida.

Herramientas y métodos para descubrir tus talentos y predisposiciones

Bueno, ¿estás listo para descubrir tus talentos y predisposiciones? ¡Es una excelente idea y no es tan difícil como crees! No necesitas poderes mágicos para encontrar tus fortalezas. Todo lo que necesitas es un poco de tiempo, motivación y herramientas, y seguramente encontrarás algo que te guste y en lo que sobresalgas.

Uno de los primeros pasos que puedes tomar es la autorreflexión. Una vez que hayas hecho una lista de tus fortalezas y debilidades, comienza a enfocarte en tus fortalezas. Piensa en proyectos o tareas que te hayan parecido fáciles y placenteras. ¿Qué habilidades y talentos utilizaste para llevarlos a cabo? Luego, busca formas de desarrollar esas fortalezas.

Puedes buscar maneras de desarrollar tus fortalezas en el trabajo, en la escuela o en la vida cotidiana. También puedes buscar oportunidades para participar en capacitaciones o talleres que te ayuden a perfeccionar tus habilidades. Finalmente, no tengas miedo de experimentar y probar algo nuevo; podrías descubrir nuevas fortalezas de las que no eras consciente antes.

Recuerda que no eres perfecto y siempre puedes seguir creciendo. Descubrir tus fortalezas es un proceso que lleva tiempo y autorreflexión. Sé paciente y no te desanimes cuando te encuentres con dificultades. Busca apoyo entre tus seres queridos o amigos y continúa tu camino hacia el desarrollo personal.

Otra herramienta que puede ayudarte a descubrir tus fortalezas es la prueba de personalidad. Algunas de ellas, como la prueba de Myers-Briggs, ayudan a determinar tus preferencias de personalidad, lo que puede ayudarte a entender tus fortalezas. Otros tests útiles evalúan tus habilidades y predisposiciones, como las pruebas de inteligencia o habilidades manuales. Sin embargo, recuerda que estos tests no son la única forma de descubrir tus fortalezas. Son solo herramientas y sus resultados deben considerarse como indicativos. En última instancia, tú conoces mejor tus talentos y habilidades.

También es importante pedir la opinión de tus amigos y familiares. Sí, vale la pena preguntar a tus seres queridos su opinión sobre tus fortalezas. A menudo, otras personas pueden ver en nuestros comportamientos y acciones talentos de los que no teníamos idea. Pueden ser habilidades interpersonales, como escuchar y aconsejar, o talentos artísticos, como dibujar o tocar música.

Cuando pidas opiniones, recuerda que las personas tienen perspectivas y preferencias diferentes. Por lo tanto, es preferible preguntar a varias personas que te conocen bien y en las que confías. Pídeles que te señalen tus puntos fuertes, pero también que hagan comentarios sobre lo que podrías mejorar y sobre tus debilidades. Esto te ayudará a verte desde diferentes perspectivas y a conocer mejor tus habilidades y predisposiciones.

También es importante recordar que la opinión de los demás no siempre debe coincidir con nuestras propias creencias y evaluaciones de nosotros mismos. Al final, eres tú quien decide qué fortalezas deseas desarrollar y cómo utilizarlas en tu vida.

Por último, utiliza herramientas en línea como cuestionarios en sitios web, aplicaciones móviles o plataformas de aprendizaje en línea. Estas herramientas están disponibles en muchos idiomas y sus resultados a menudo se pueden imprimir o enviar por correo electrónico. Estas herramientas en línea pueden ser útiles, especialmente para personas que desean explorar sus fortalezas de manera más detallada y automatizada. Hay varios sitios web que ofrecen cuestionarios, pruebas y encuestas que te ayudarán a descubrir tus predisposiciones y habilidades. También existen aplicaciones móviles que te ayudarán a realizar un seguimiento de tu progreso en el desarrollo de tus fortalezas. Utilizando plataformas de aprendizaje en línea, puedes adquirir nuevas habilidades que te ayudarán a desarrollar tus talentos y competencias.

Descubrir tus fortalezas es un proceso que requiere tiempo y paciencia, pero no hay nada más gratificante que encontrar algo que realmente te apasione y en lo que sobresalgas.

Cómo utilizar tus fortalezas en el trabajo y en la vida personal

Una vez que hemos descubierto nuestras fortalezas, ¡es hora de ponerlas en práctica! Y ¿dónde mejor que en el trabajo y la vida personal? Aquí hay algunas otras formas de utilizar tus fortalezas en el trabajo y en la vida personal:

1. Utiliza tus fortalezas en el trabajo para obtener mejores resultados y alcanzar tus objetivos más rápidamente

Aprovechar tus fortalezas en el trabajo puede ofrecer muchas ventajas, como obtener mejores resultados y alcanzar tus objetivos más rápido. Cuando utilizamos nuestros talentos y habilidades, es más fácil realizar tareas que se ajusten a nuestras disposiciones, lo que se traduce en mejores resultados.

Trabajando en áreas donde destacamos, somos más productivos y eficientes, lo que se traduce en una mejor calidad de trabajo y comentarios positivos por parte de empleadores y clientes.

2. Destaca tus fortalezas en entrevistas de trabajo y reuniones con superiores

En una entrevista de trabajo, es importante presentar tus fortalezas en el contexto de los requisitos específicos del puesto. Puedes explicar cuáles son las habilidades en las que sobresales, qué logros has alcanzado en ese campo o qué desafíos has superado con éxito. De esta manera, el futuro empleador puede ver los beneficios que aportaría la contratación de alguien con tus habilidades y cómo eso podría contribuir al desarrollo de la empresa.

3. Usa tus habilidades para ayudar a los demás y mejorar tus relaciones con ellos

Si tienes fuertes habilidades interpersonales, como empatía y habilidades de escucha, puedes ayudar a otros a resolver problemas y enfrentar desafíos. Por ejemplo, puedes actuar como mentor para los empleados más jóvenes de tu empresa o simplemente ser un apoyo para tus amigos y familiares cuando lo necesiten. Si eres un experto en un área particular, puedes brindar asesoramiento y ayudar a otros a desarrollar sus habilidades. Puedes organizar talleres, conferencias o webinarios en los que compartas tus conocimientos y experiencia.

4. Participa en entrenamientos y aprende de expertos para desarrollar tus fortalezas

Si tienes la oportunidad, trata de aprovechar la posibilidad de aprender de expertos o mentores en tu campo. Puedes pedir a tu jefe o a alguien reconocido por su experiencia y éxito en tu industria que te ayude a desarrollar tus habilidades y conocimientos. Ser un estudiante con la mente abierta a nueva información y perspectivas puede ayudarte a mejorar en lo que haces y a aprovechar tus fortalezas de manera aún más efectiva.

5. Descubre tus fortalezas en tu vida personal y úsalas para lograr algo excepcional para ti y los demás

Cuando descubres tus fortalezas en tu vida personal, puedes comenzar a utilizarlas de diferentes maneras para lograr algo excepcional para ti y para los demás. Por ejemplo, si eres talentoso en la cocina, puedes intentar preparar una comida especial para tu familia o amigos, o incluso comenzar un blog de cocina. Si eres una persona organizada, puedes ayudar a tus amigos o familiares a planificar sus viajes o eventos. También puedes utilizar tus habilidades para ayudar a los demás en situaciones difíciles, ofreciendo apoyo emocional o consejos prácticos.

6. Utiliza tus fortalezas para ayudar a resolver problemas y encontrar nuevas soluciones

Utilizar tus fortalezas te permite resolver problemas de manera efectiva que parecían insuperables anteriormente. Al conocer tus fortalezas, puedes enfocarte en ellas al tomar decisiones, lo que aumenta tus posibilidades de encontrar una solución eficaz. Utilizar tus fortalezas en el proceso de búsqueda de nuevas soluciones te permite pensar de manera creativa e innovadora. Conocer tus fortalezas te permite emprender acciones que se centran en el uso de esas fortalezas, evitando tus debilidades.

7. Ten confianza y utiliza tus fortalezas para superar tus propias barreras y límites

La confianza en uno mismo es esencial para superar tus propios límites. Cuanto más confíes en tus habilidades, más dispuesto estarás a asumir desafíos y riesgos. Es importante reconocer tus logros y aprender a apreciar tus habilidades para fortalecer tu confianza en ti mismo.

El uso de tus fortalezas en el trabajo y en tu vida personal puede traer muchos beneficios. Te ayudará a alcanzar tus objetivos más rápido, a aumentar tu confianza, a mejorar tus relaciones con los demás y a descubrir nuevos intereses. Entonces, ¡no dudes en empezar a actuar y aprovechar lo mejor que tienes!

Cómo desarrollar tus talentos y habilidades para convertirte en un experto en un campo específico

Entonces, ¿quieres convertirte en un experto en un campo específico? Bueno, ciertamente requiere un poco de trabajo, pero con nuestros consejos, definitivamente podrás lograrlo.

En primer lugar, piensa en cuál es el campo en el que deseas convertirte en un experto. ¿Es algo que ya haces o estudias? ¿O tal vez es algo que siempre te ha fascinado pero nunca has tenido la oportunidad de seguir?

Si ya sabes lo que quieres aprender, comienza a buscar formas de adquirir conocimientos y habilidades. Puedes tomar cursos en línea, leer libros, participar en capacitaciones e incluso tener mentores o entrenadores que te ayuden a desarrollarte en ese campo.

No olvides la práctica. Entrena tus habilidades, realiza proyectos y trabajos prácticos para consolidar tus conocimientos y adquirir experiencia. No temas cometer errores, ya que son precisamente esos errores los que te ayudarán a avanzar.

Si ya te sientes seguro de tus habilidades, piensa en cómo puedes utilizarlas en el trabajo o en tu vida personal. Por ejemplo, puedes dar talleres, escribir un artículo o un libro sobre el tema, o simplemente compartir tus conocimientos y experiencia con otros.

Recuerda que convertirte en un experto no depende solo de adquirir conocimientos y habilidades, sino también de tu actitud y enfoque. Sé curioso, abierto a nuevas ideas y dispuesto a enfrentar desafíos. Después de todo, como dice el viejo dicho: "la mejor manera de aprender algo es enseñándoselo a los demás".

Cuáles son los errores más comunes al identificar tus fortalezas y cómo evitarlos

Identificar tus fortalezas puede ser difícil, especialmente si no sabes lo que estás buscando. Reconocer adecuadamente estos rasgos requiere cierto conocimiento y habilidad. Desafortunadamente, muchas personas cometen errores en el proceso de identificar sus fortalezas. Aquí están los más comunes y cómo evitarlos:

1. Enfocarse en las debilidades en lugar de las fortalezas: este es un error clásico que puede tener un impacto negativo en tu autoestima. En lugar de concentrarte en tus deficiencias, comienza por identificar tus fortalezas y trabaja en desarrollarlas.

2. Dependencia de las opiniones de los demás: las opiniones de los demás son ciertamente importantes, pero no deben ser el único criterio para evaluar tus fortalezas. Antes de buscar información sobre ti mismo de otros, intenta determinar tus fortalezas por ti mismo.

3. Compararse con los demás: comparar tus habilidades con las de otros puede ser tentador, pero no necesariamente es útil. Cada uno tiene sus fortalezas, y no vale la pena compararse con los demás, especialmente si te deja con una impresión negativa.

4. Falta de flexibilidad en el pensamiento: a veces, puedes estar convencido de tus fortalezas, pero puede resultar que necesitas cambiar tu enfoque y explorar otros caminos. Es importante mostrar flexibilidad mental y estar abierto a cambios.

5. Falta de coherencia: el desarrollo de tus fortalezas lleva tiempo y esfuerzo. No es útil comenzar algo que no terminarás. Es importante tener un plan y seguirlo.

Evitar estos errores puede ayudarte a identificar eficazmente tus fortalezas. Recuerda que lo que te hace único son tus fortalezas, y trabajar en su desarrollo puede ayudarte a tener éxito en tu vida profesional y personal.

Ejercicio práctico

Ejercicio 1. Crea una lista de tus logros

Repasa tus experiencias personales y profesionales y reflexiona sobre los momentos en los que has tenido los mayores éxitos. Escribe estos logros en una lista y trata de encontrar las características comunes entre ellos. Aquí tienes algunas preguntas que pueden ayudarte a crear una lista de logros:

• ¿Qué éxitos he alcanzado en el último año/mes/semana?

• ¿Qué objetivos he logrado en el pasado?

• ¿De qué estoy especialmente orgulloso/orgullosa?

• ¿Cuál ha sido mi desafío más grande y cómo lo superé?

• ¿Qué habilidades o cualidades me han ayudado a alcanzar estos éxitos?

• ¿Qué he obtenido como recompensa por mi arduo trabajo o determinación?

• ¿Cómo han afectado mis logros a mi vida o a la de los demás?

• ¿Qué me gustaría lograr en el futuro, teniendo en cuenta mis éxitos pasados?

Ejercicio 2. Pide a tus seres queridos que te hablen sobre tus fortalezas

Pide a algunas personas cercanas a ti que te conocen bien que hagan una lista de tus fortalezas. Hazles preguntas como:

• ¿Cuáles son, en tu opinión, mis mayores fortalezas?

• ¿Por qué crees que soy reconocido/a?

• ¿Qué habilidades o talentos crees que poseo?

Registra sus respuestas y analízalas. ¿Has notado repeticiones? ¿Has descubierto algo que no habías realizado anteriormente? Intenta comparar las respuestas con tu propia lista de fortalezas y reflexiona si existen diferencias o información adicional.

Para facilitar este proceso, puedes utilizar estos puntos:

Persona

Mis mayores fortalezas según esta persona

Notas/Información adicional

No olvides expresar tu gratitud hacia estas personas por su ayuda y escucha sus opiniones. Sus observaciones pueden ser valiosas para ayudarte a identificar tus fortalezas.

Ejercicio 3. Encuéntrate inspiración en el éxito de los demás

Encuentra ejemplos de personas que han alcanzado el éxito aprovechando sus fortalezas. Reflexiona sobre quiénes eran estas personas, en qué destacaban y cómo utilizaron sus talentos para lograr sus objetivos. Puedes hacer investigaciones en Internet, leer biografías o pensar en personas que conozcas personalmente.

Aquí tienes algunas preguntas que pueden ayudarte en este ejercicio:

• ¿Quién en tu entorno ha alcanzado el éxito utilizando sus fortalezas?

• ¿Qué talentos y habilidades poseen las personas a las que admiras?

• ¿Qué objetivos han logrado estas personas al aprovechar sus fortalezas?

• ¿Puedes proporcionar ejemplos en los que el uso de las fortalezas haya contribuido al éxito en su trabajo, negocios o vida personal?

Resumen

- Reconocer tus fortalezas tiene numerosas ventajas, como una mayor satisfacción en la vida, mayor confianza en ti mismo y éxito tanto en tu vida profesional como personal.

- Existen muchas herramientas y métodos que se pueden utilizar para identificar tus talentos y predisposiciones, como pruebas de personalidad, análisis FODA o conversaciones con seres queridos.

- Utilizar tus fortalezas en el trabajo y en la vida personal puede ayudarte a alcanzar tus objetivos, colaborar de manera más efectiva con los demás y obtener una mayor satisfacción de tus actividades.

- Para desarrollar tus talentos y convertirte en un experto en un campo específico, es inteligente buscar oportunidades para aprender y perfeccionar tus habilidades.

- Los errores más comunes al identificar las fortalezas incluyen centrarse en lo que no puedes hacer en lugar de en lo que puedes hacer y no reflexionar sobre tus éxitos y logros. Se recomienda evitar estos errores y enfocarse en tus fortalezas.

Capítulo 3. Supera tus debilidades: Cómo enfrentar las limitaciones internas y tener éxito

"Tu mayor limitación no es lo que no sabes hacer, sino lo que no quieres hacer."

- Jim Rohn

¿Alguna vez has sentido que algo en tu vida no está funcionando como debería? ¿Sientes que tus debilidades son un obstáculo en el camino hacia el éxito? ¡Bueno, estás en el lugar adecuado! En este capítulo, abordaremos precisamente este tema: cómo enfrentar las limitaciones internas, es decir, tus debilidades. No prometo que te convertirás en un superhéroe, pero definitivamente descubrirás algunas técnicas que te ayudarán a superar tus propios demonios internos y alcanzar el éxito!

Cuáles son las limitaciones internas más comunes y cómo afectan nuestra vida

Las limitaciones internas provienen de nuestros pensamientos, creencias y convicciones. A menudo están arraigadas profundamente en nuestra psicología y pueden impedirnos alcanzar nuestros objetivos y realizar plenamente nuestro potencial. Pueden ser creencias como "no soy lo suficientemente bueno", "no tengo suficiente conocimiento" o "nadie me valora". Estos pensamientos negativos pueden bloquearnos y provocar temores que a menudo paralizan nuestras acciones.

Las limitaciones internas afectan nuestra vida de muchas maneras. Pueden llevar a la falta de confianza en uno mismo, una autoestima reducida, falta de motivación o sensación de impotencia. También pueden tener un impacto en nuestras relaciones con los demás, nuestra carrera o nuestra vida personal.

Uno de los pasos más importantes para superar las limitaciones internas es identificar esas creencias y pensamientos negativos. Es útil reflexionar sobre lo que nos está bloqueando y lo que nuestros pensamientos nos dicen sobre nosotros mismos y nuestras posibilidades. Después de identificar estos pensamientos negativos, podemos empezar a cuestionarlos y buscar patrones de pensamiento alternativos. También podemos buscar la ayuda de un profesional o comenzar a practicar técnicas como la meditación o afirmaciones, que nos ayudarán a adoptar un pensamiento más positivo y superar nuestras limitaciones internas.

Aquí tienes algunas de las limitaciones internas más comunes:

1. Baja autoestima: cuando no nos sentimos lo suficientemente seguros de nosotros mismos, puede resultarnos difícil emprender acciones y tener éxito.

2. Miedo: el miedo al fracaso o a la crítica puede impedirnos probar cosas nuevas o desarrollar nuestras habilidades.

3. Perfeccionismo: la búsqueda de la perfección puede evitar que tomemos medidas o nos lleve a evitar situaciones en las que podríamos cometer errores.

4. Autosabotaje: a veces, nos ponemos obstáculos para alcanzar nuestros objetivos, por ejemplo, evitando tareas difíciles o tomando decisiones erróneas.

5. Esperar condiciones ideales: esperar el momento perfecto o condiciones ideales puede evitar que tomemos medidas.

Estas limitaciones internas pueden tener un impacto en nuestra vida al limitar nuestras acciones o causar un estrés poco saludable. Sin embargo, al reconocerlas conscientemente y aprender a gestionarlas, podemos tener éxito y alcanzar nuestros objetivos.

Manejar el miedo, la incertidumbre y las creencias negativas

El miedo, la incertidumbre y las creencias negativas son tres de las limitaciones internas más comunes a las que debemos enfrentarnos en la vida. El miedo puede evitar que tomemos medidas importantes para nosotros y que tengamos éxito. La incertidumbre puede llevarnos a dudar de nuestras decisiones y actuar de manera indecisa. Las creencias negativas pueden sembrar el pesimismo en nuestra mente y obstaculizar nuestra capacidad para percibir los aspectos positivos de nuestra situación. Aquí tienes algunas formas de enfrentar estas limitaciones:

1. Tomar conciencia del miedo, la incertidumbre y las creencias negativas

Enfrentar estas limitaciones internas requiere tomar conciencia de su existencia y trabajar en ellas. A menudo, no somos capaces de controlar nuestras emociones y pensamientos porque no somos conscientes del momento en que surgen y de las razones por las que aparecen en nuestra mente. Por lo tanto, es útil dedicar un tiempo a la reflexión y considerar qué desencadena nuestros miedos, incertidumbres y creencias negativas. Pueden ser situaciones en las que hemos experimentado el fracaso, la crítica, el rechazo o la falta de éxito. Tomar conciencia de estas fuentes nos permite identificar las áreas en las que debemos concentrar nuestros esfuerzos para enfrentar nuestras limitaciones internas.

2. Identificar las raíces de estas emociones

Identificar las raíces del miedo, la incertidumbre y las creencias negativas es esencial para superarlas. Estas emociones a menudo se derivan de experiencias pasadas, como traumas, relaciones insalubres con otras personas o fracasos en la vida. También es posible sentir miedo e incertidumbre debido a la falta de autoconfianza o la incapacidad para lidiar con ciertas situaciones.

3. Actuar a pesar del miedo

El miedo y la incertidumbre a menudo pueden paralizarnos y evitar que tomemos medidas. Es importante aprender a actuar a pesar de los temores y ansiedades, lo que nos permite alcanzar nuestros objetivos y superar nuestras propias limitaciones. La acción es esencial para superar el miedo y la incertidumbre. Actuar a pesar de estas emociones puede ser difícil, pero cuanto más lo hagamos con frecuencia, más fácil se volverá. Es importante recordar que no siempre necesitamos sentirnos seguros para actuar. A veces, simplemente debemos intentarlo y ver qué sucede. La acción puede ayudarnos a adquirir nuevas experiencias y habilidades que nos permitirán crecer y alcanzar nuestros objetivos. Sin embargo, es importante cuidar de nuestra salud mental para evitar el agotamiento.

4. Buscar apoyo

Buscar apoyo es esencial para enfrentar estas limitaciones internas. Puede ayudarnos a ver nuestros problemas desde una perspectiva diferente y adquirir el conocimiento y las habilidades necesarias para resolverlos. Es importante no sentirnos solos en nuestras emociones y pensamientos. Podemos comenzar con conversaciones abiertas con personas cercanas que nos entiendan y nos ayuden a encontrar formas de enfrentar nuestras emociones y pensamientos. En caso de problemas más graves, se recomienda consultar a un profesional, como un psicólogo o terapeuta, que nos ayudará a trabajar en nuestras limitaciones internas y aprender estrategias efectivas para superarlas.

Qué métodos y herramientas se pueden utilizar para superar las debilidades

Adán siempre soñó con convertirse en médico. Sus padres eran trabajadores de fábrica y no tenían mucho dinero para financiar sus estudios de medicina. Sin embargo, Adán no se rindió y no permitió que su situación financiera obstaculizara su búsqueda de su objetivo.

Decidió buscar trabajos adicionales para ganar dinero para sus estudios. Durante varios años, trabajó como camarero, vendedor en una tienda y guardia nocturno para ahorrar suficiente dinero para financiar su educación.

Cuando finalmente logró conseguir un lugar en la facultad de medicina, trabajó realmente duro. Dedicó muchas horas cada día al estudio y la preparación de sus exámenes. No tenía mucho tiempo para el ocio, pero sabía que para alcanzar su objetivo, debía invertir mucho tiempo y esfuerzo.

Después de muchos años de estudio, Adán se graduó en medicina con honores. Fue contratado en uno de los mejores hospitales del país, donde rápidamente se convirtió en un especialista respetado en su campo.

Su pasión por la medicina, su determinación y su arduo trabajo le trajeron el éxito. Adán no solo logró su sueño de convertirse en médico, sino que también se convirtió en un ejemplo para otras personas que enfrentan dificultades.

El resultado positivo de la historia de *Adán* muestra que cada uno de nosotros puede superar sus debilidades y alcanzar sus objetivos si toma las medidas adecuadas. Es importante recordar que el éxito no llega fácilmente y que a veces tendremos que enfrentar contratiempos. Si tomamos medidas hacia nuestros objetivos y no nos desanimamos ante la adversidad, podemos lograr lo que deseamos y superar nuestras propias limitaciones.

Existen muchas metodologías y herramientas que ayudan a superar las limitaciones internas y las debilidades. Algunas de ellas son las siguientes:

1. Autoconocimiento y conciencia de uno mismo: es útil conocerse a uno mismo, identificar las fortalezas, debilidades, necesidades y objetivos. Esto nos ayudará a identificar lo que debemos cambiar o eliminar de nuestras vidas.

2. Terapia: la terapia ayuda a identificar y resolver problemas emocionales y psicológicos. Esto es especialmente útil en casos de limitaciones internas graves.

3. Desarrollo de habilidades: es útil dedicar tiempo al desarrollo de habilidades para sentirse más seguro y actuar de manera más efectiva en la vida.

4. Mindfulness: la atención plena aumenta la conciencia y la concentración, lo que puede ayudar a controlar el miedo y el estrés.

5. Meditación: la meditación ayuda a relajarse y a calmar la mente, lo que puede ayudar a superar creencias y miedos negativos.

6. Relaciones de apoyo: es útil cultivar relaciones positivas con personas cercanas que pueden ayudarnos a alcanzar nuestros objetivos y superar nuestras limitaciones.

7. Entrenamiento de fuerza: el entrenamiento de fuerza ayuda a desarrollar la fuerza interna y la confianza en uno mismo, lo que puede ayudar a enfrentar el miedo y la incertidumbre.

8. Afirmaciones positivas: las afirmaciones positivas moldean pensamientos y creencias positivas, lo que puede ayudar a superar creencias y miedos negativos.

9. Encontrar mentores: es útil encontrar un mentor que pueda ayudar a alcanzar nuestros objetivos y brindar apoyo en el proceso de desarrollo personal.

10. Adoptar un estilo de vida saludable: un estilo de vida saludable que incluye una dieta equilibrada, ejercicio regular y un sueño adecuado puede ayudar a enfrentar el miedo y el estrés, fortaleciendo así nuestra fuerza interna.

Cómo utilizar tus debilidades para crecer y tener éxito

Las debilidades son parte de la vida y a veces pueden impedirnos alcanzar el éxito. Sin embargo, en lugar de ocultarlas, es importante aprender a utilizarlas para tu crecimiento y logro de objetivos. Aquí tienes algunas formas de utilizar tus debilidades para alcanzar el éxito:

1. Toma conciencia de tus debilidades

Tomar conciencia de tus debilidades es un paso clave en el proceso de utilizarlas para tu crecimiento y logro de objetivos. Sin entender lo que te limita, es difícil actuar de manera efectiva. Examinar tus debilidades puede ser difícil y requiere valentía. Sin embargo, te permitirá identificar los obstáculos que te impiden alcanzar tus objetivos. Es importante comprender qué desencadena tus debilidades y cómo influyen en tu vida. ¿Se trata de creencias negativas arraigadas en el pasado, de una falta de habilidades o experiencia en un área específica? Una vez que hayas identificado lo que te limita, puedes tomar medidas para superar esas limitaciones.

2. Acepta tus debilidades

No tengas miedo de admitir que tienes debilidades. Nadie es perfecto y todos enfrentan dificultades. No tiene sentido ocultar tus debilidades y pretender que no existen, ya que eso solo empeora el problema. En su lugar, reconócelas y busca formas de mejorarlas. Aceptar tus debilidades te permite mirar honestamente tu propia vida y te da la fuerza para actuar. También es importante no compararte con los demás y no sucumbir a la presión social de alcanzar la perfección.

3. Trabaja en tus debilidades

Trabajar en tus debilidades implica establecer objetivos específicos y crear un plan de acción. Piensa en lo que puedes hacer para mejorar tus debilidades. ¿Necesitas adquirir más conocimientos o habilidades? ¿Necesitas el apoyo de otras personas? Asegúrate de que los objetivos que establezcas sean realistas y alcanzables. Ten en cuenta que el cambio lleva tiempo y esfuerzo, así que sé paciente y no te desanimes si no ves resultados inmediatos. Es importante seguir tu plan y actuar de manera sistemática.

4. Usa tus debilidades como fuente de motivación

En lugar de enfocarte en tus debilidades como algo negativo, trata de verlas desde otra perspectiva. Concéntrate en cómo tus debilidades pueden ayudarte a alcanzar tus objetivos. Por ejemplo, si eres tímido, usa eso como motivación para desarrollar tus habilidades sociales, lo que te permitirá comunicarte mejor con los demás. Tus debilidades pueden fortalecerte si aprendes a trabajar con ellas. Recuerda que no te definen como persona.

5. Sé paciente

Trabajar en tus debilidades requiere tiempo y paciencia. No esperes resultados inmediatos, pero trabaja de manera constante en tu desarrollo. Cada paso hacia la mejora es un paso en la dirección correcta. Los fracasos y errores son naturalmente parte del proceso de desarrollo. No te desanimes cuando cometas errores o logres pequeños éxitos. Sigue avanzando, aprende de tus experiencias y mantente fiel a tus objetivos.

Por qué aceptar tus debilidades es importante y cómo puede ayudarte a tener éxito

La aceptación de tus debilidades es un elemento clave en el proceso de desarrollo personal. Te permite tomar conciencia de tus limitaciones, comprender su origen y tomar medidas para mejorar. Rechazar y ocultar tus debilidades puede llevar a una búsqueda poco saludable de la perfección y a una constante comparación con los demás, lo que puede resultar en frustración y baja autoestima.

Aceptar tus debilidades equivale a aceptar tu naturaleza humana y reconocer que cada persona tiene sus propios defectos e imperfecciones. Esto te permite centrarte en tu propio desarrollo y progreso en lugar de compararte con los demás. La aceptación de tus debilidades también fomenta la construcción de mejores relaciones con los demás, ya que crea un sentido de apertura y autenticidad.

Es importante señalar que la aceptación de tus debilidades puede ser difícil y requerir valentía, pero conduce a resultados positivos. Las personas que son capaces de aceptar sus debilidades son más flexibles y resistentes al estrés. Pueden hacer frente al fracaso y la crítica, lo que se traduce en una mayor motivación y deseo de progresar.

En última instancia, la aceptación de tus debilidades puede ayudarte a tener éxito, ya que te permite centrarte en tus fortalezas y aprovecharlas al máximo. Esto te permite alcanzar objetivos que se ajusten a tus necesidades y pasiones individuales, lo que se traduce en un mayor sentido de logro y satisfacción en la vida.

Ejercicio práctico

Ejercicio 1. Haga una lista de sus logros

A menudo tendemos a centrarnos en nuestros fracasos y decepciones, pero también es importante reconocer lo que hemos logrado en la vida. Ahora, hagamos una lista de nuestros mayores logros. Aquí hay algunas preguntas que te ayudarán en esta tarea:

• ¿En qué áreas has tenido tus mayores éxitos? Esto puede incluir trabajo, educación, pasatiempos, deportes, vida personal, etc.

• ¿Qué objetivos has logrado? Pueden ser pequeños logros, como aprobar un examen, o grandes objetivos, como un ascenso o superar un desafío difícil.

• ¿Qué habilidades y talentos has utilizado para lograr estos objetivos?

• ¿Quién te ayudó a lograr estos éxitos? ¿Fue un grupo de apoyo, un mentor u otra persona?

• ¿Qué desafíos tuviste que superar para alcanzar tus objetivos?

• ¿Qué efectos positivos resultaron de estos logros? ¿Mejoraron tu vida o la de otras personas?

Una vez que hayas creado tu lista de logros, tómate un momento para reflexionar sobre lo que te permitió alcanzarlos. ¿Fue la determinación, el trabajo duro, el apoyo de personas cercanas o tal vez una habilidad o talento particular? Puedes extraer valiosas lecciones de esta reflexión para ayudarte a alcanzar futuros objetivos.

Ejercicio 2. Prueba cosas diferentes

La vida puede volverse muy monótona si siempre hacemos lo mismo. Es por eso que de vez en cuando es bueno probar algo nuevo para ayudarnos a crecer y descubrir nuevas pasiones.

Aquí hay algunas preguntas que te ayudarán a probar cosas diferentes:

• ¿Hay un área en la que te gustaría desarrollarte?

• ¿Existen cursos o capacitaciones relacionados con esta área que puedas tomar?

• ¿Hay grupos o asociaciones donde puedas conocer a personas con intereses similares?

• ¿Hay lugares a los que siempre has querido ir o cosas que siempre has querido probar?

• ¿Tienes ideas para cosas que nunca has intentado pero te gustaría hacerlo?

Si respondiste afirmativamente a alguna de las preguntas anteriores, vale la pena comenzar a tomar medidas y probar cosas nuevas. Salir de tu zona de confort puede ser difícil, pero te ayudará a crecer, adquirir nuevas experiencias y descubrir tus talentos. También puedes establecer nuevas relaciones y conocer a personas con intereses similares, lo que puede conducir a otros éxitos y logros.

Ejercicio 3. Identifica tus fortalezas en situaciones cotidianas

A menudo no somos conscientes de nuestras fortalezas que se manifiestan en situaciones cotidianas. Es por eso que es útil observar de cerca qué características y habilidades nos destacan en diferentes situaciones.

Reflexiona sobre las siguientes preguntas:

• Cuando otras personas me piden consejo o ayuda, ¿en qué áreas suelen recurrir más a mi experiencia y conocimientos?

• ¿Qué tareas y proyectos realizo más gustosamente y con mayor compromiso? ¿Qué me brinda placer y un sentimiento de logro?

• ¿En qué situaciones otras personas me elogian por mi trabajo o comportamiento? ¿Qué hago para causar una buena impresión?

• ¿Qué habilidades o características de mi personalidad me ayudan a alcanzar objetivos y resolver problemas? ¿Soy organizado, creativo, paciente, asertivo, empático, etc.?

Después de responder a estas preguntas, intenta identificar tus fortalezas. También puedes discutirlas con tu familia, amigos o colegas y preguntarles en qué creen que te destacas en comparación con los demás.

Conociendo tus fortalezas, puedes utilizarlas de manera más efectiva en tu trabajo, vida personal y en tu desarrollo personal y profesional futuro.

Resumen

- Las limitaciones internas como el miedo, la incertidumbre o las creencias negativas pueden afectar seriamente nuestra vida y obstaculizar nuestro éxito.

- Tomar conciencia de nuestras debilidades y aceptarlas es esencial en el proceso de superar las limitaciones internas.

- Podemos utilizar diversos métodos, como la formación en asertividad o técnicas de relajación, para aprender a enfrentar el miedo y la incertidumbre.

- Las creencias negativas pueden modificarse trabajando en el pensamiento positivo y centrándonos en nuestros puntos fuertes.

- Es importante ser paciente y trabajar de manera constante en el desarrollo, utilizando nuestras debilidades como motivación.

- Superar las limitaciones internas puede ayudarnos a tener éxito en la vida, tanto en el ámbito profesional como en el personal.

Capítulo 4. Trabaja en tu asertividad: Cómo decir no sin sentir culpabilidad y aprender a pedir lo que quieres

"No hay nada más deslumbrante que la simple asertividad humana."

- Sylvia Plath

¿Te ha pasado alguna vez que dices sí a algo que realmente no quieres hacer? ¿O te sientes incómodo cuando tienes que decir "no"? ¿O quizás sientes que los demás constantemente te ponen obstáculos y obstaculizan el logro de tus objetivos? Si es así, ¡necesitas más asertividad en tu vida! No te preocupes, no tiene que ser necesariamente un proceso aburrido y difícil. Después de todo, la asertividad no se limita a conversaciones serias y negociaciones. También es la capacidad de expresar tus necesidades y deseos de manera clara y precisa, sin sentir culpabilidad ni vergüenza. Entonces, si quieres descubrir tu fuerza interior y aprender a decir "no" sin estrés, ¡estás en buenas manos!

Qué es la asertividad y por qué es importante en la vida profesional y personal

La asertividad consiste en ser capaz de expresar clara y firmemente las necesidades y expectativas sin violar los derechos y necesidades de los demás. Esto requiere habilidades de comunicación efectiva, tanto verbales como no verbales. Las personas asertivas pueden expresar su opinión sin agresividad ni conflictos innecesarios, al tiempo que resisten a manipulaciones o chantajes emocionales.

¿Por qué es útil desarrollar la asertividad? En primer lugar, permite una comunicación más efectiva y eficiente con los demás. Gracias a la asertividad, es más fácil expresar las necesidades y expectativas hacia los demás, contribuyendo así a construir relaciones interpersonales positivas.

En segundo lugar, la asertividad ayuda a manejar mejor el estrés y la tensión. Las personas asertivas tienden a enfrentar situaciones difíciles de manera constructiva, lo que contribuye a aumentar su sentido de control y autoconfianza.

En tercer lugar, la asertividad puede tener un impacto positivo en nuestra salud mental y física. Aquellas personas capaces de expresar sus necesidades y establecer límites generalmente sufren menos estrés, ansiedad y depresión.

En el trabajo, a menudo es necesario expresar claramente nuestra opinión, establecer límites o oponerse a comportamientos inapropiados por parte de superiores o colegas. En tales situaciones, la asertividad permite abordar de manera efectiva los problemas y conflictos, lo que tiene repercusiones en un ambiente laboral positivo y el logro de objetivos de acuerdo con nuestros propios valores.

Las personas asertivas saben expresar su punto de vista de manera categórica respetando las opiniones de los demás. Esto les permite llegar a un consenso en situaciones difíciles, fomentando así un trabajo en equipo más efectivo y una mejor integración en la estructura de la empresa. Además, las personas asertivas toman más iniciativas y riesgos, lo que impulsa el desarrollo de la creatividad y la innovación en el trabajo.

La asertividad es esencial en la vida personal ya que nos permite construir relaciones saludables con los demás. Al tener la capacidad de expresar nuestras necesidades y sentimientos de manera respetuosa tanto hacia nosotros mismos como hacia los demás, podemos evitar conflictos y disputas mientras establecemos vínculos basados en el respeto y la confianza.

La asertividad también refuerza nuestra autoestima. Cuando somos asertivos, no necesitamos recurrir a la manipulación o interpretar un papel para conseguir lo que deseamos. En cambio, podemos expresar nuestras necesidades y expectativas de manera directa y abierta. Esto nos brinda más confianza en nosotros mismos y nos hace menos vulnerables a la influencia de los demás.

La asertividad también nos ayuda a alcanzar nuestros objetivos y sueños. Gracias a ella, podemos expresar nuestras opiniones y proponer soluciones que contribuyan a la realización de nuestros objetivos. Esto nos permite ganar el respeto y el reconocimiento de los demás, lo que tiene un impacto positivo en nuestras relaciones con ellos.

Los errores de comunicación más comunes en la asertividad y cómo evitarlos

En la comunicación asertiva, a menudo se cometen errores que obstaculizan la consecución de los objetivos deseados. Uno de los errores más comunes es la agresividad, es decir, la violación de los derechos y la dignidad de la otra persona, lo que generalmente conduce a conflictos y deterioro de las relaciones. La agresividad puede manifestarse de diversas formas, como críticas, acusaciones, amenazas o chantajes emocionales. La agresividad suele ser el resultado de la incapacidad para gestionar las emociones y los conflictos, lo que puede generar frustración y estrés. Por lo tanto, es importante aprender a controlar el comportamiento y buscar formas constructivas de resolver los problemas.

Otro error es evitar la confrontación, es decir, eludir la expresión de opiniones y necesidades por miedo al rechazo o la crítica. Este estilo de comunicación puede llevar a la frustración y la insatisfacción en la vida, así como al mantenimiento de relaciones negativas con los demás. Evitar la confrontación también puede conducir a una sumisión excesiva, es decir, adaptarse demasiado a las necesidades de los demás en detrimento de las propias. Esto puede provocar un sentimiento de devaluación y falta de respeto por parte de los demás.

Otro error común es evitar decir "no" o establecer límites. Las personas que no pueden negarse de manera asertiva a menudo caen en la trampa de comprometerse demasiado, asumiendo demasiados compromisos y terminan trabajando en exceso. Las habilidades de negociación inapropiadas y la falta de asertividad también pueden dar lugar a resultados y logros no deseados. La incapacidad para decir "no" y establecer límites también puede exponernos a la explotación por parte de los demás, lo que puede generar un sentimiento de injusticia y pérdida de control sobre nuestra vida. Por lo tanto, es importante desarrollar habilidades de asertividad y aprender a negarse de manera asertiva, respetando al mismo tiempo los derechos y necesidades de los demás.

Finalmente, un error frecuente en la comunicación es centrarse en las propias emociones en lugar de en los hechos y problemas. Este enfoque a menudo conduce a la escalada de conflictos y dificulta la búsqueda de soluciones. Las personas que se centran únicamente en sus emociones a menudo descuidan la importancia de escuchar a la otra parte, lo que puede dar lugar a una comprensión deficiente de la situación. Además, centrarse en las emociones puede provocar una distorsión de los hechos, lo que dificulta aún más la resolución del problema. Por lo tanto, es importante centrarse en los hechos, escuchar atentamente y evitar juzgar a los demás durante la comunicación.

Para evitar estos errores, es útil centrarse en el desarrollo de habilidades de asertividad. En primer lugar, es importante aprender a escuchar a la otra persona y respetar su punto de vista. También es esencial expresar las necesidades y expectativas de manera asertiva, siendo al mismo tiempo educado y respetuoso hacia los demás. También es necesario aprender a negarse y establecer límites, así como buscar soluciones beneficiosas para todas las partes.

Métodos y herramientas para volverse más asertivo

Para volverse más asertivo, hay numerosos métodos y herramientas que puedes utilizar. Es importante recordar que la asertividad es una habilidad que se puede desarrollar mediante práctica regular y la aplicación de técnicas adecuadas. Aquí tienes algunas de ellas:

1. Ejercicios de asertividad

Existen diversos ejercicios y tareas que ayudan a desarrollar habilidades asertivas, como aprender a expresar tus necesidades y límites, rechazar solicitudes y expresar tu opinión de manera asertiva respetando a los demás. Los ejercicios típicos de asertividad incluyen simulaciones de situaciones cotidianas en las que los participantes deben rechazar o expresar sus necesidades de manera asertiva. Durante estos ejercicios, también puedes aprender a enfrentar comportamientos agresivos o manipuladores de los demás.

2. Autorreflexión

Es útil tomarse el tiempo para reflexionar sobre tus comportamientos y reacciones en situaciones que requieren asertividad. Es importante reflexionar sobre qué causa tu inseguridad o timidez, cuáles son tus miedos y preocupaciones relacionados con la asertividad, y qué beneficios podría aportarte un comportamiento más asertivo. La autorreflexión te permite comprender mejor tus necesidades y expectativas personales, identificar los factores que te impiden ser asertivo y desarrollar estrategias para enfrentar esas dificultades y mejorar tu asertividad.

3. Cursos y formaciones

Puedes participar en cursos y formaciones sobre asertividad. Muchas empresas ofrecen capacitaciones en desarrollo personal, incluida la asertividad, que te permiten aprender técnicas asertivas y poner en práctica estas habilidades. Este tipo de formaciones puede ser especialmente útil para personas que, por razones profesionales o personales, deben comunicarse con frecuencia con los demás y tomar decisiones. Te ayudan a adquirir nuevas habilidades, aumentar tu autoestima y mejorar tu confianza en tus relaciones con los demás.

4. Terapia

Si la falta de asertividad proviene de causas más profundas, puede ser útil considerar la terapia, que te permitirá identificar y trabajar en estos problemas. La terapia te ayuda a desarrollar tu confianza, fortalecer tu autoestima y mejorar tus habilidades asertivas. También puede ser útil si la falta de asertividad se debe a experiencias traumáticas o situaciones difíciles del pasado que han influido en tu percepción de ti mismo y en tus relaciones con los demás. La terapia te ayuda a comprender estas experiencias y a aprender nuevas formas de enfrentar situaciones que requieren asertividad.

5. Libros y artículos

También es útil consultar diversas fuentes sobre asertividad, como libros, artículos y blogs. Estas fuentes te permiten adquirir conocimientos teóricos, así como consejos y herramientas prácticas para desarrollar tus habilidades asertivas. A través de libros y artículos, también puedes encontrar ejemplos de la vida real y formas de enfrentar situaciones difíciles, lo que te ayuda a comprender mejor y poner en práctica la asertividad. Es útil consultar estas fuentes junto con otras métodos de desarrollo de la asertividad.

6. Observar y escuchar a los demás

También es útil observar a los demás y prestar atención a su comportamiento en diferentes situaciones. Puedes aprender de los demás, especialmente de personas que parecen particularmente asertivas y tienen éxito en su vida profesional y personal. Sin embargo, es importante recordar que cada persona tiene una personalidad y un estilo de comunicación individuales, por lo que debes elegir modelos de comportamiento que se ajusten mejor a tus necesidades y valores. También es importante evitar compararte con los demás y centrarte en tu desarrollo personal individual.

Las ventajas del desarrollo de la asertividad en la vida diaria

Un día, Ana, una empleada de oficina, decidió que necesitaba trabajar en su asertividad. Durante mucho tiempo, se sentía incómoda en situaciones en las que tenía que rechazar algo a alguien o cuando alguien la interpelaba. Se sentía perdida e impotente en tales situaciones. Decidió que necesitaba cambiar eso.

Comenzó con pequeños pasos, estableciéndose objetivos como rechazar una solicitud al día en lugar de ceder siempre. Luego, comenzó a practicar la forma de decir "no" de manera firme, al mismo tiempo que respetaba a la otra persona. También leyó libros y artículos sobre asertividad y participó en capacitaciones en esta área.

No fue un proceso fácil, pero con el tiempo, Ana comenzó a notar cambios positivos en su vida. Adquirió una mayor confianza en sí misma, y sus relaciones con los demás se volvieron más satisfactorias. Gracias a su asertividad, ya no tenía miedo de hablar sobre sus necesidades y expectativas, lo que le permitió manejar mejor su trabajo y su vida personal.

Finalmente, Ana fue ascendida y recibió una oferta de trabajo en otro país. Decidió enfrentar ese desafío y aceptó el nuevo empleo, donde de inmediato puso en práctica su habilidad en la comunicación asertiva. Con el tiempo, se convirtió en una de las empleadas más respetadas y reconocidas en su campo. Gracias a su asertividad desarrollada, experimentó un inmenso éxito profesional.

El desarrollo de la asertividad conlleva numerosas ventajas en la vida diaria. Las personas asertivas suelen sentirse más seguras, lo que les permite enfrentar mejor las situaciones difíciles. La asertividad permite una comunicación más eficaz con los demás, lo cual es especialmente importante en la vida profesional y personal.

Gracias a la asertividad, las personas son capaces de expresar más claramente sus necesidades y expectativas, lo que favorece mejores relaciones con los demás. Los individuos asertivos están mejor preparados para enfrentar conflictos, ya que pueden expresar su punto de vista de manera clara y decidida, respetando al mismo tiempo a la otra persona. Además, la asertividad contribuye a fortalecer la autoestima y el respeto propio. Las personas asertivas son conscientes de sus necesidades y límites, y saben defenderlos, lo que tiene un impacto positivo en su autoestima y en su sensación de control sobre su vida. En última instancia, el desarrollo de la asertividad no es solo una habilidad de comunicación, sino también la clave del éxito y la satisfacción en la vida.

La asertividad también es esencial en la vida profesional. Las personas asertivas son más efectivas en las negociaciones, lo que les permite obtener mejores resultados. También están mejor equipadas para enfrentar el estrés y la presión, lo cual es especialmente importante en situaciones profesionales donde a veces es necesario tomar decisiones rápidas y efectivas. Además, las personas asertivas son percibidas de manera más positiva por sus colegas y superiores, ya que saben expresar su punto de vista de manera determinada, respetando la opinión de los demás. De esta manera, adquieren la reputación de empleados comprometidos y eficientes, capaces de enfrentar desafíos.

Cómo enfrentar las reacciones negativas de los demás a nuestro comportamiento asertivo

Cuando comenzamos a desarrollar nuestra asertividad, es posible que nos enfrentemos a reacciones negativas de personas que no están acostumbradas a nuestro nuevo comportamiento. Puede ser difícil, pero es importante recordar que nuestra salud mental y bienestar son más importantes que la incomodidad temporal de los demás.

En tales situaciones, es útil explicar nuestro punto de vista de manera tranquila y clara, respetando a la otra persona. Es importante escuchar lo que la otra persona tiene que decir e intentar comprender su perspectiva. También se puede fomentar la discusión abierta y la expresión de opiniones. De esta manera, construimos relaciones positivas basadas en el respeto mutuo y la comprensión.

También es importante recordar que no siempre podremos obtener un resultado positivo en cada situación, incluso si somos asertivos. En otras palabras, no siempre podremos convencer a los demás de nuestro punto de vista o satisfacer nuestras expectativas. Es esencial aceptar el hecho de que no podemos controlar las reacciones de los demás y concentrarnos en lo que podemos cambiar, es decir, nuestro propio comportamiento y forma de comunicarnos.

Si, a pesar de nuestros esfuerzos, alguien reacciona de manera negativa a nuestro comportamiento asertivo, es útil tratar de entender la razón de esta reacción. A veces, las personas reaccionan emocionalmente porque no están acostumbradas a ese enfoque o porque tienen sus propios problemas y frustraciones que influyen en su comportamiento. En tales situaciones, es útil mantener la calma y mostrar empatía, escuchando a la otra persona e intentando comprender su punto de vista.

No renuncies a la asertividad por miedo a las reacciones negativas de los demás. En última instancia, es importante preservar tus valores, y la asertividad es una de las herramientas clave para lograrlo.

Ejercicio práctico

Exercice 1. Expression d'un avis différent

Ejercicio 1. Expresión de una opinión diferente

A menudo, no estamos de acuerdo con otras personas, pero por miedo u otras razones, dudamos en expresar nuestra opinión diferente. Para mejorar nuestra asertividad, es útil practicar la capacidad de expresar nuestra opinión de manera clara y decidida respetando a los demás. Aquí tienes cómo puedes practicar paso a paso la expresión de una opinión diferente:

1. Elige un tema que te genere emociones y sobre el cual tengas una opinión diferente a alguien más. Puede ser política, religión, estilo de vida u otro.

2. Prepárate para la conversación reflexionando sobre lo que quieres decir y cómo justificarlo. Prepárate también para posibles contraargumentos y cómo responderás.

3. Inicia la conversación y expresa tu opinión de manera clara y tranquila, evitando reacciones emocionales. Presenta tus argumentos y trata de explicar por qué tienes esa opinión.

4. Mantente abierto a la opinión diferente de la otra persona y respeta su punto de vista. Así muestras que respetas su derecho a tener su propia opinión mientras expresas la tuya.

5. Continúa la conversación de manera tranquila y decidida, sin ceder a la presión de la otra persona ni caer en la agresividad.

Aquí tienes algunas frases que puedes usar en la conversación:

• "No estoy de acuerdo con lo que estás diciendo."

• "Mi opinión sobre este tema es diferente."

• "Entiendo que tengas tu opinión, pero la mía es diferente."

• "Mi opinión es la siguiente:..."

- "Según lo que siento..."

Ejercicio 2. Expresión del rechazo

A veces, debemos rechazar las peticiones de otros, por ejemplo, cuando no podemos hacer algo o cuando supera nuestros límites. Este ejercicio consiste en practicar la expresión del rechazo de manera firme, breve y segura, sin largas explicaciones ni excusas. Aquí tienes algunos ejemplos:

- "Lo siento, pero no puedo hacerlo. Tengo demasiadas obligaciones."

- "No puedo ayudarte, tengo muchas cosas que hacer."

- "No puedo ayudarte en este asunto."

- "No puedo prestarte dinero, tengo muchos gastos este mes."

- "No tengo tiempo para hacerlo."

Es importante recordar que la expresión del rechazo es una habilidad asertiva importante que nos permite establecer límites y respetar nuestro tiempo y recursos. Este ejercicio puede ayudarnos a fortalecer nuestra confianza y nuestra capacidad para expresar un rechazo de manera firme, pero también educada y respetuosa hacia la otra persona.

Ejercicio 3. Haz una lista de tus comportamientos asertivos

Al igual que con la lista de logros, es útil examinar tus comportamientos asertivos y anotarlos en una lista. Esto te permitirá darte cuenta de que sabes ser asertivo en algunas situaciones, lo que puede motivarte a actuar de la misma manera en otros casos. Aquí tienes algunas preguntas para ayudarte en esta tarea:

- ¿En qué situaciones has sido capaz de ser asertivo/a? Puede ser en el trabajo, en relaciones interpersonales, durante conflictos, etc.

- ¿Qué comportamientos asertivos has mostrado en esas situaciones? ¿Pudiste expresar claramente tus necesidades y expectativas respetando a la otra persona?

• ¿Qué emociones te acompañaron en esas situaciones? ¿Te sentías seguro/a, o tenías dudas y miedos?

• ¿Utilizaste técnicas asertivas en esas situaciones? En caso afirmativo, ¿cuáles?

• Después de manifestar comportamientos asertivos, ¿notaste efectos positivos en tu vida o en tus relaciones con otras personas?

Después de hacer la lista de tus comportamientos asertivos, es útil reflexionar sobre las características que te ayudaron a manifestarlos. ¿Fue la confianza en ti mismo, las habilidades de escucha o la capacidad para expresar tu opinión de manera clara y decidida? Esto te permitirá entender mejor tus puntos fuertes y aplicarlos en otras situaciones.

Resumen

• La asertividad implica expresar clara y decididamente las necesidades y expectativas, respetando a los demás.

• Para volverse más asertivo, se recomienda comenzar con pequeños pasos y establecer metas realistas.

• Es útil aprender a decir "no" de manera firme, sin ofender a la otra persona.

• Una buena manera de desarrollar la asertividad es leer libros y artículos sobre el tema, así como participar en formaciones.

• Las reacciones negativas de los demás a nuestro comportamiento asertivo son naturales, pero es importante no ceder a la presión y perseverar en nuestro enfoque.

• La asertividad es crucial en la vida profesional, ya que facilita negociaciones más efectivas, una mejor gestión del estrés y la presión, así como la obtención de mejores resultados.

Capítulo 5. Gestiona tu tiempo: Cómo planificar y organizar eficientemente tus tareas para aumentar tu productividad

"No malgastes tu tiempo, ya que es el material del cual está hecha la vida."

- Benjamin Franklin

¿Alguna vez te has preguntado a dónde va tu tiempo? ¿A veces sientes que es un ingrediente mágico que desaparece tan pronto como surge una nueva tarea? Si es así, significa que necesitas algunos trucos mágicos para gestionar eficazmente tu tiempo y aumentar tu productividad. En este capítulo, descubrirás cómo no desperdiciar tu vida en actividades distractivas y cómo utilizar herramientas y tecnologías para finalmente sentirte dueño de tu tiempo.

Cuáles son los principales desafíos en la gestión del tiempo y cómo superarlos

La gestión del tiempo es uno de los elementos más importantes para la acción efectiva, ya sea en el trabajo o en la vida personal. Sin embargo, a menudo se convierte en uno de los mayores desafíos para muchas personas. Uno de los mayores desafíos en la gestión del tiempo es el hecho de que todos tenemos una cantidad limitada de tiempo y recursos para dedicar a la realización de tareas. Ya seamos empleados, emprendedores o estudiantes, cada día tenemos muchas tareas para realizar, que a menudo son urgentes y requieren atención especial.

Otro desafío en la gestión del tiempo es la falta de habilidades para establecer prioridades y tomar decisiones. A menudo, las personas con muchas tareas pendientes no pueden determinar cuáles son las más importantes y urgentes, y cuáles pueden esperar. También puede suceder que tengamos miedo de tomar decisiones y las pospongamos, lo que introduce el caos en nuestros planes y dificulta la consecución de nuestros objetivos.

Otro desafío es la falta de habilidades para enfocarse en una tarea a la vez y eliminar las distracciones externas. Hoy en día, muchos factores pueden distraernos de la realización de nuestras tareas, como las redes sociales, las llamadas telefónicas o las reuniones no planificadas. La incapacidad para concentrarse y eliminar las distracciones puede hacer que completar una tarea nos lleve más tiempo del necesario.

Finalmente, otro desafío, pero igualmente importante, es la falta de habilidades para delegar tareas. A menudo, las personas con muchas responsabilidades se sienten responsables de todo y no pueden delegar parte de sus tareas a otras personas. Esto es especialmente problemático para aquellos que gestionan equipos. La incapacidad para delegar tareas puede llevar a una sobrecarga de trabajo, falta de eficiencia, así como a un estrés excesivo y agotamiento profesional.

Para superar estos desafíos, es útil utilizar diferentes técnicas de planificación y organización, como establecer una lista de prioridades, dividir las tareas en subtareas, utilizar herramientas de gestión del tiempo, así como establecer prioridades y dedicar tiempo a las tareas más importantes. Además, también es importante mantener la motivación estableciendo objetivos y monitoreando los progresos realizados. Es extremadamente útil establecer plazos específicos para la realización de cada tarea y evitar interrumpir el trabajo con actividades innecesarias, como revisar las redes sociales o responder a correos electrónicos irrelevantes. De esta manera, podremos gestionar mejor nuestro tiempo y aumentar nuestra productividad, lo que nos permitirá obtener mejores resultados en el trabajo y disfrutar de nuestro tiempo libre.

Métodos y herramientas para planificar y organizar eficientemente tus tareas

En la actualidad, con una carga de trabajo cada vez mayor, la gestión del tiempo se ha vuelto extremadamente crucial. Uno de los mayores desafíos a los que nos enfrentamos es la abrumadora cantidad de tareas que debemos completar en un tiempo limitado. Para hacer frente a este problema, tiene sentido utilizar diferentes técnicas de planificación y organización.

Existen tienes algunos métodos y herramientas que puedes usar para planificar y organizar eficientemente tus tareas.

1. Método SMART

El método SMART es una técnica popular que ayuda a definir objetivos de manera específica, medible, alcanzable, relevante y con límite de tiempo. Esto es lo que significa cada uno de estos elementos:

• Específico (ing. Specific) – El objetivo debe estar claramente definido y comprensible para todas las partes involucradas. No debe contener términos vagos ni formulaciones imprecisas.

• Medible (ing. Measurable) – El objetivo debe definirse de manera que permita su medición o la estimación del grado de su logro. Esto facilita la evaluación de si se ha alcanzado el objetivo.

• Alcanzable (ing. Achievable) – El objetivo debe ser realista y posible de lograr. No debe ser ni demasiado fácil ni demasiado difícil. Debe tener en cuenta nuestras habilidades, recursos y tiempo.

• Relevante (ing. Relevant) – El objetivo debe estar relacionado con nuestros valores, necesidades y prioridades. Debe tener sentido y ser importante para nuestro trabajo o vida personal.

• Temporal (ing. Time-bound) – El objetivo debe tener un plazo definido. Esto facilita una mejor gestión del tiempo y evita posponer las tareas.

El método SMART es muy útil para la planificación y realización de objetivos, ya que permite definir con precisión lo que deseas lograr y cómo hacerlo de manera eficiente.

2. La matriz de Eisenhower

La matriz de Eisenhower es un método popular para organizar tareas, dividiéndolas en cuatro categorías según los criterios de importancia y urgencia. Este método lleva el nombre del antiguo presidente de los Estados Unidos, Dwight D. Eisenhower, quien creía que "lo importante no siempre es urgente, y lo urgente no siempre es importante".

La matriz consta de dos ejes: importancia y urgencia, creando así cuatro cuadrantes. Las tareas se colocan en los cuadrantes correspondientes según su naturaleza.

1. El primer cuadrante se refiere a las tareas urgentes e importantes. Son aquellas que requieren atención inmediata y acción, siendo cruciales para alcanzar los objetivos. Estas tareas deben tener prioridad, dedicándoles la mayor cantidad de tiempo y energía.

2. El segundo cuadrante trata de tareas importantes pero no urgentes. Se refiere a aquellas relacionadas con objetivos a largo plazo y proyectos que requieren planificación y organización. Aunque no son urgentes, su realización es esencial para el éxito futuro.

3. El tercer cuadrante se enfoca en tareas urgentes pero no importantes. Son tareas que requieren atención inmediata, pero su realización no tiene gran relevancia para el logro de los objetivos. Es útil reflexionar sobre su necesidad y considerar la posibilidad de delegarlas o ignorarlas.

4. El cuarto cuadrante se ocupa de tareas ni urgentes ni importantes. Son aquellas que no contribuyen al logro de los objetivos y se pueden ignorar o delegar a otras personas.

Esta metodología ayuda a gestionar eficazmente el tiempo y a concentrarse en las tareas más importantes que contribuirán al éxito a largo plazo.

3. La técnica Pomodoro

La técnica Pomodoro es un método que consiste en dividir el trabajo en intervalos de 25 minutos, separados por pausas de 5 minutos. El nombre proviene del italiano "pomodoro", que significa tomate, ya que su creador utilizaba un temporizador de cocina en forma de tomate para medir el tiempo de trabajo.

El objetivo de esta técnica es mantener la concentración y aumentar la productividad al dividir el trabajo en períodos cortos concentrados. Después de cada intervalo de trabajo, se toma un breve descanso, lo que permite recargarse y refrescar la mente. Después de varios de estos intervalos, se puede tomar un descanso más largo de 15 a 30 minutos.

La técnica Pomodoro ayuda a evitar la dispersión de la atención y las interrupciones del trabajo, al tiempo que aumenta la motivación al establecer objetivos a alcanzar durante cada intervalo. Puede ser especialmente útil para personas con problemas de concentración o propensas a interrupciones constantes, ya que permite una planificación y organización eficientes de su tiempo de trabajo.

4. La lista de tareas

La lista de tareas es uno de los métodos más simples pero efectivos para organizar el trabajo. Consiste en enumerar todas las tareas a realizar y clasificarlas por orden de prioridad. Es importante que la lista sea clara y legible, y que las tareas estén detalladamente descritas para evitar errores y retrasos innecesarios.

Las tareas pueden priorizarse de diversas maneras en la lista, como por importancia, fecha de vencimiento o tiempo dedicado. También es esencial actualizar regularmente la lista de tareas, eliminando las tareas ya completadas e incorporando nuevas tareas que hayan surgido en el ínterin.

La lista de tareas puede llevarse en papel, en un cuaderno, un bloc de notas o en formato electrónico en una computadora o teléfono inteligente. Es importante adaptar la forma de la lista a las preferencias y necesidades individuales, de manera que sea lo más práctica posible y permita planificar y organizar el trabajo de manera rápida y eficiente.

5. Método Kanban

El método Kanban es una técnica de gestión de tareas basada en un tablero visual que permite seguir fácilmente la progresión del trabajo y organizar las tareas en columnas. Se colocan tarjetas con tareas en el tablero, que se mueven a través de las columnas, desde el estado inicial (por ejemplo, "Por hacer") hasta el estado final (por ejemplo, "Terminado"). Cada columna representa una etapa diferente en la realización de la tarea, lo que facilita el seguimiento del progreso y la identificación de posibles retrasos.

El método Kanban también facilita la definición de prioridades y la planificación del tiempo dedicado a cada tarea. Además, gracias al carácter visual del tablero, todo el equipo puede seguir fácilmente el progreso del trabajo y mantenerse informado sobre el estado de las tareas. El método Kanban es especialmente eficaz para los equipos que trabajan en modo ágil, pero también se puede utilizar para el trabajo individual.

6. Aplicaciones de gestión del tiempo

Las aplicaciones de gestión del tiempo son herramientas que ayudan a organizar las tareas, planificar el tiempo y seguir el progreso del trabajo. Estas aplicaciones suelen ofrecer muchas funciones para facilitar la gestión del tiempo, como calendarios, listas de tareas, recordatorios, etiquetas, y muchas más.

Un ejemplo de una aplicación así es Trello, que se basa en la idea de un tablero visual con tarjetas que representan tareas o proyectos, moviéndose entre las columnas de "Por hacer" a "Terminado".

Asana es otra aplicación popular que permite crear tareas, proyectos y listas de verificación, y asignarlas a personas y plazos específicos.

Todoist es otra aplicación popular que facilita la creación de listas de tareas y proyectos, así como la asignación de prioridades, plazos y etiquetas.

Google Calendar es otra herramienta que ofrece muchas funciones, como la planificación de reuniones, recordatorios e integración con otras herramientas de Google.

Las aplicaciones de gestión del tiempo son herramientas eficaces que ayudan a gestionar el tiempo de manera eficiente, a planificar y organizar tareas, y a seguir el progreso del trabajo.

Cómo aumentar la productividad y la eficacia en el trabajo y en la vida personal

Una de las principales formas de aumentar la productividad es centrarse en las tareas importantes. Elija aquellas que tengan el mayor impacto en el logro de sus objetivos y concentre su energía en ellas. Limite las distracciones y evite perder tiempo en actividades poco importantes. Centrarse en las tareas importantes le permitirá utilizar su tiempo de manera más eficiente y obtener mejores resultados. Eliminar distracciones como la navegación en redes sociales o correos electrónicos no esenciales le ayudará a evitar perder tiempo y concentrarse en las acciones más importantes.

El siguiente paso es planificar de manera efectiva. Cree horarios realistas, comience el día estableciendo prioridades y un plan de acción. Utilice métodos de organización como listas de tareas o la técnica Pomodoro para planificar eficientemente sus tareas y mantener su concentración. Una planificación realista y el establecimiento de prioridades le ayudarán a gestionar su tiempo de manera eficaz y a evitar una carga excesiva. Recuerde que la clave del éxito radica en buscar las herramientas y técnicas más adecuadas para su estilo de trabajo y necesidades.

No olvide descansar y recuperarse. Las pausas regulares y una cantidad suficiente de sueño son cruciales para la eficacia y la creatividad. Cuide su salud y su capacidad para gestionar el estrés, ya que esto afecta su eficacia en el trabajo y en su vida personal. Encuentre también tiempo para la actividad física y la relajación, ya que un cuerpo y una mente saludables fomentan la eficacia en todos los aspectos de la vida.

También es importante hacer frente a la sobrecarga de trabajo. No tenga miedo de delegar tareas, utilizar la tecnología o pedir ayuda cuando sea necesario. Utilice las herramientas de gestión del tiempo disponibles para facilitar la organización y el seguimiento de sus progresos. Establezca límites de tiempo y gestione su trabajo de manera inteligente para evitar la sobrecarga de trabajo y el agotamiento profesional.

Aumentar la productividad es un proceso que requiere práctica y paciencia. Sea flexible y adapte su enfoque según sea necesario. Recuerde que la gestión efectiva del tiempo tiene un impacto positivo no solo en el trabajo, sino también en el equilibrio entre la vida laboral y personal, lo que se traduce en una mayor satisfacción y felicidad diaria.

Los beneficios de una gestión eficaz del tiempo en la vida cotidiana

Manuel siempre tuvo problemas para administrar su tiempo. Siempre dejaba que sus proyectos se prolongaran, llegaba tarde a las reuniones y se quejaba constantemente de no tener suficiente tiempo. Un día, decidió que tenía que cambiar algo, que tenía que aprender a gestionar su tiempo y actuar de manera más eficiente.

Manuel comenzó por hacer una lista de sus tareas y objetivos. Luego, los desglosó en pasos más pequeños y planificó cuánto tiempo le llevaría completarlos. También aprendió a identificar sus prioridades y asignar las prioridades adecuadas a sus tareas.

Su planificación y organización comenzaron a dar sus frutos. Las tareas que antes le parecían imposibles de realizar ahora se completaban sin problemas. Manuel comenzó a valorar su tiempo y a aprovecharlo de manera más eficiente.

Gracias a su nuevo enfoque de la gestión del tiempo, Manuel comenzó a alcanzar sus objetivos más rápido y más fácilmente que nunca. También ganó más tiempo para su familia y amigos, lo que tuvo un impacto positivo en su vida personal.

Manuel ha notado que la gestión efectiva del tiempo conlleva numerosos beneficios. Ha adquirido un sentido de control sobre su vida y trabajo, lo que ha reducido su nivel de estrés y mejorado su bienestar general. Ha experimentado una mayor eficacia en la realización de sus tareas, lo que se ha traducido en una mayor satisfacción laboral y logros obtenidos.

Gracias a una planificación y organización efectivas, Manuel también ha ganado una mayor flexibilidad y capacidad para enfrentar cambios repentinos o situaciones imprevistas. Estaba mejor preparado para los desafíos y podía adaptarse rápidamente a las nuevas circunstancias.

La gestión efectiva del tiempo también ha permitido a Manuel aprovechar mejor sus habilidades y recursos. Centrarse en las tareas importantes le ha permitido dirigir su energía y atención hacia acciones que aportan el mayor valor. El tiempo y el esfuerzo dedicados a actividades menos importantes han disminuido, mientras que la eficiencia y la productividad en áreas clave han aumentado.

Finalmente, una gestión efectiva del tiempo ha permitido a Manuel encontrar un mejor equilibrio entre el trabajo y la vida personal. Tareas correctamente planificadas y organizadas le han proporcionado más tiempo para relajarse, disfrutar de sus pasatiempos y pasar tiempo con sus seres queridos. Esto ha contribuido a un mayor sentimiento de logro y satisfacción, tanto en el trabajo como en su vida personal.

En general, la gestión efectiva del tiempo ha brindado a Manuel mejoras en muchos aspectos de su vida. Al centrarse en las tareas importantes, planificar, organizarse y mostrar flexibilidad, ha aumentado su productividad y eficacia, reducido su nivel de estrés, alcanzado sus objetivos y disfrutado de una mayor armonía entre el trabajo y la vida personal.

Cómo utilizar la tecnología para gestionar el tiempo de manera efectiva

La tecnología ofrece numerosas posibilidades de apoyo en la gestión del tiempo. Aquí tienes algunas formas de utilizar la tecnología para planificar y organizar eficazmente tus tareas:

1. Utiliza aplicaciones de gestión de tareas

Elige la aplicación de gestión de tareas que se adapte mejor a tus necesidades. Aplicaciones como Todoist, Microsoft To Do o Any.do te permiten crear listas de tareas, asignar prioridades, establecer plazos y hacer un seguimiento del progreso. Te permiten mantener el control total sobre tus tareas y estar al día con lo que debe hacerse.

2. Utiliza calendarios electrónicos

Los calendarios electrónicos, como Google Calendar u Outlook Calendar, son excelentes herramientas para la planificación y organización de tu tiempo. Puedes crear eventos, establecer recordatorios, invitar a otras personas a reuniones y sincronizar tus calendarios entre tus dispositivos. Esto te permitirá tener todo tu horario en un solo lugar y de fácil acceso.

3. Automatiza las tareas recurrentes

Si tienes muchas tareas recurrentes, considera la automatización de su ejecución. Utiliza herramientas como IFTTT o Zapier para crear automatizaciones simples, como la creación automática de copias de seguridad de archivos, el envío de informes regulares o el movimiento de correos electrónicos a carpetas apropiadas. Esto te ayudará a ahorrar tiempo y liberar energía para otras tareas.

4. Utiliza las notificaciones y recordatorios

Aprovecha las notificaciones y recordatorios disponibles en tus dispositivos móviles, ordenador o reloj inteligente. Configura notificaciones para plazos importantes, reuniones o tareas para estar al tanto de las obligaciones futuras. Esto te ayudará a mantener una conciencia del tiempo y a no olvidar cosas esenciales.

5. Haz un seguimiento y analiza tu tiempo

Utiliza aplicaciones de seguimiento del tiempo como RescueTime o Toggl para monitorizar cuánto tiempo dedicas a diferentes actividades y aplicaciones. Esto te permitirá identificar áreas donde estás perdiendo tiempo o donde podrías utilizarlo mejor. Analizar los datos te ayudará a planificar mejor tus tareas y ajustar tus prioridades.

El uso de la tecnología para la gestión del tiempo puede simplificar considerablemente la vida diaria y aumentar la productividad. Existen algunos beneficios del uso eficaz de la tecnología en la gestión del tiempo.

1. Facilidad y conveniencia

La tecnología nos proporciona un acceso rápido y fácil a las herramientas de gestión del tiempo. Las aplicaciones, los calendarios electrónicos y otras herramientas están siempre al alcance, lo que nos permite planificar y organizar nuestras tareas en cualquier lugar y momento.

2. Sincronización y colaboración

Gracias a la tecnología, podemos sincronizar nuestros calendarios y tareas entre diferentes dispositivos. También podemos compartir nuestros horarios y colaborar con otras personas, facilitando la planificación de reuniones, proyectos y tareas grupales.

3. Notificaciones y recordatorios

La tecnología nos permite establecer notificaciones y recordatorios que nos ayudan a recordar fechas y tareas importantes. Esto elimina el riesgo de olvido y nos mantiene al día con nuestras obligaciones.

4. Automatización de tareas rutinarias

La tecnología nos permite automatizar tareas recurrentes, lo que nos ahorra tiempo y esfuerzo. Podemos configurar la transferencia automática de archivos, el envío de informes regulares o la programación de tareas recurrentes, permitiéndonos así centrarnos en tareas más importantes.

5. Análisis de datos y optimización

Con las herramientas de seguimiento del tiempo y análisis de datos, podemos monitorear de cerca cómo utilizamos nuestro tiempo e identificar áreas donde se pueden realizar mejoras. Podemos analizar nuestra productividad, identificar actividades que consumen mucho tiempo y tomar decisiones informadas sobre el uso eficiente de nuestro tiempo.

El uso eficaz de la tecnología en la gestión del tiempo nos permite aumentar nuestra productividad, reducir el estrés y organizar de la mejor manera nuestras tareas. También nos brinda un mejor control sobre nuestro tiempo y nos permite enfocarnos en las prioridades más importantes en el trabajo y en nuestra vida personal.

Ejercicio Práctico

Ejercicio 1. Planificación Consciente del Tiempo

La planificación consciente del tiempo es clave para una gestión eficaz del mismo. Este ejercicio implica planificar cuidadosa y deliberadamente tu tiempo para aprovecharlo al máximo en la consecución de objetivos y tareas importantes. Aquí tienes algunas preguntas que pueden ayudarte en este proceso:

• ¿Cuáles son mis objetivos y prioridades más importantes en la vida?

• ¿Qué tareas y acciones son necesarias para alcanzar esos objetivos?

• ¿Cuáles son mis fortalezas y habilidades que puedo utilizar en mi planificación del tiempo?

• ¿Qué factores o actividades llaman mi atención y desperdician mi tiempo?

• ¿Cuáles son mis principales fuentes de distracción y cómo puedo minimizarlas?

• ¿Qué rutinas y hábitos puedo establecer para aumentar mi productividad y eficacia?

• ¿Cómo puedo organizar mi tiempo para encontrar un equilibrio entre el trabajo, el descanso, la vida personal y el desarrollo?

• ¿Cómo puedo utilizar la tecnología, las herramientas y las aplicaciones para respaldar mi planificación del tiempo?

Después de responder a estas preguntas, crea un plan de gestión del tiempo teniendo en cuenta tus objetivos, prioridades y tareas. Puedes utilizar herramientas tradicionales como un calendario, una lista de tareas o aplicaciones modernas de gestión del tiempo. Asigna tiempo a tareas y acciones específicas según su importancia y plazos.

Ejercicio 2. Eliminar Actividades No Productivas

A menudo, realizamos muchas actividades no productivas que consumen nuestro tiempo y energía. Este ejercicio consiste en identificar estas actividades y tomar medidas para eliminarlas. Aquí tienes algunas preguntas que pueden ayudarte en esta tarea:

• ¿Qué actividades o acciones consumen mucho de mi tiempo pero no producen resultados valiosos?

• ¿Hay actividades que me distraen y me impiden concentrarme en tareas importantes?

• ¿Qué hábitos o rutinas resultan en pérdida de tiempo?

• ¿Hay tareas que puedo delegar o automatizar para ahorrar tiempo?

• ¿Cómo puedo reducir el tiempo dedicado a las redes sociales, la televisión u otras distracciones?

• ¿Hay proyectos o tareas que puedo posponer o abandonar por completo?

• ¿Cómo puedo organizar mejor mis tareas diarias para gestionar mi tiempo de manera más eficiente?

• ¿Qué estrategias puedo implementar para centrarme en las prioridades y evitar posponer tareas importantes?

Después de identificar las actividades no productivas y responder a las preguntas anteriores, crea un plan de acción. Determina las medidas específicas que tomarás para reducir o eliminar estas actividades. Esto puede incluir establecer un calendario, establecer prioridades, adoptar nuevos hábitos o utilizar herramientas de gestión del tiempo. Recuerda que eliminar actividades no productivas te permitirá concentrarte en tareas más valiosas y utilizar tu tiempo de manera más eficaz.

Ejercicio 3. Planificación Consciente del Tiempo

La planificación consciente del tiempo es clave para una gestión eficaz del mismo. Este ejercicio consiste en crear un plan diario o semanal teniendo en cuenta las prioridades y objetivos. Aquí tienes algunas preguntas que pueden ayudarte en esta tarea:

• ¿Cuáles son mis objetivos y tareas más importantes para el próximo día o la próxima semana?

• ¿Qué tareas son urgentes y requieren ejecución inmediata?

• ¿Qué tareas son importantes y contribuyen al logro de objetivos a largo plazo?

• ¿Qué compromisos puedo delegar o automatizar para ahorrar tiempo?

• ¿Cuáles son mis horas más productivas durante el día? ¿Cómo puedo utilizar ese tiempo para tareas importantes?

• ¿Hay rutinas o hábitos que puedo establecer para mejorar mi organización del tiempo?

• ¿Cómo puedo eliminar o reducir factores de distracción como notificaciones en el teléfono, reuniones innecesarias o exceso de información?

• ¿Existen herramientas o aplicaciones de gestión del tiempo que pueden ayudarme a planificar y hacer un seguimiento de mi progreso?

Después de responder a estas preguntas, crea un plan coherente para el día o la semana teniendo en cuenta las prioridades, las tareas y los momentos específicos. Las tareas urgentes deben completarse primero, mientras que las tareas importantes deben planificarse en momentos apropiados. Asegúrate de reservar tiempo para el descanso, la regeneración y la flexibilidad en caso de circunstancias imprevistas.

Resumen

• La gestión eficaz del tiempo implica enfocarse en las tareas esenciales, establecer prioridades y dedicar tiempo a ellas. Esto permite obtener mejores resultados y lograr eficientemente los objetivos.

• Los desafíos de la gestión del tiempo incluyen distracciones, sobrecarga de tareas, falta de planificación y organización. Superarlos requiere conciencia, disciplina y la aplicación de estrategias efectivas.

• Existen muchas metodologías y herramientas que se pueden utilizar para una planificación y organización eficaces de las tareas. Esto incluye la creación de listas de tareas, el uso de técnicas como el Pomodoro, la utilización de calendarios electrónicos y aplicaciones de gestión del tiempo.

• Para aumentar la productividad y la eficacia, también es importante cuidar la salud y la regeneración, asegurándose de dormir lo suficiente, tomando pausas regulares y gestionando el estrés de manera adecuada.

• La gestión eficaz del tiempo ofrece muchos beneficios en la vida diaria, como un mejor control del tiempo, un aumento de la productividad, la reducción del estrés, el logro de objetivos y un mejor equilibrio entre la vida profesional y personal.

• La tecnología puede ser una herramienta útil para la gestión eficaz del tiempo, ofreciendo un acceso fácil a aplicaciones, sincronización de calendarios, automasatización de tareas y análisis de datos, contribuyendo así a una mejor organización y uso óptimo del tiempo.

Capítulo 6: Superar el estrés: Cómo enfrentar situaciones difíciles y mantener la calma en momentos tensos

"No podemos evitar el estrés, pero podemos aprender a enfrentarlo.

La mejor manera de reducir el estrés es ocuparnos de lo que podemos controlar."

- William J. Clinton

En el mundo actual, a menudo intenso y exigente, el estrés es un compañero inevitable. Sin embargo, no tenemos que permitir que el estrés nos abrume. Hay formas efectivas de enfrentar el estrés y mantener la calma incluso en las situaciones más difíciles. ¿Cómo lograrlo? Descubrámoslo.

En este capítulo, examinaremos las causas frecuentes del estrés y cómo afectan nuestra vida. También exploraremos los métodos que podemos utilizar para enfrentar el estrés de manera efectiva. En última instancia, al descubrir la historia de Thomas, veremos cómo la gestión eficaz del tiempo puede ser beneficiosa tanto en el trabajo como en la vida personal.

Al desarrollar constantemente técnicas de gestión del tiempo y cuidar nuestra salud mental, podemos adquirir las herramientas para reducir el nivel de estrés en nuestra vida cotidiana. A lo largo de este capítulo, descubriremos las mejores métodos para cuidar nuestra salud mental, con el objetivo de aumentar nuestra resistencia al estrés y disfrutar de cada día.

Prepárate para descubrir técnicas simples pero efectivas que te ayudarán a enfrentar las dificultades, a mantener la calma y a disfrutar de la vida. Supera el estrés con nosotros y comienza a dar forma a tu salud mental de manera que encuentres satisfacción y equilibrio en todas las áreas de tu vida.

Las causas más comunes del estrés y su impacto en nuestra vida

Las causas más frecuentes del estrés pueden incluir la presión del tiempo y la sobrecarga de trabajo, los conflictos en el trabajo o en las relaciones, la incertidumbre financiera, los cambios de vida como mudanzas o pérdida de empleo, y el desequilibrio general entre la vida profesional y la vida personal. Cada una de estas situaciones puede provocar fuertes emociones, ansiedad y tensión, que tienen un impacto en nuestra salud mental y física. Como resultado, el estrés puede causar fatiga, frustración, dificultades de concentración y problemas de sueño.

1. Trabajo y carrera

Altas expectativas laborales, largas horas de trabajo y la presión para alcanzar objetivos pueden conducir a un estrés crónico. Las situaciones exigentes en el lugar de trabajo, como cumplir con plazos de proyectos o manejar situaciones difíciles, pueden llevar a un agotamiento mental y físico. Como resultado, nuestra salud puede verse afectada y nuestras relaciones con los demás pueden descuidarse, ya que puede ser difícil encontrar un equilibrio entre el trabajo y la vida personal.

2. Problemas financieros

Los problemas financieros como deudas o inestabilidad financiera son una fuente importante de estrés. Las finanzas son un aspecto crucial de la vida, y la incertidumbre en este ámbito puede afectar nuestro bienestar y nuestra capacidad para tomar decisiones. Las preocupaciones sobre el futuro financiero y la incertidumbre sobre nuestra situación financiera pueden causar ansiedad y frustración. El estrés relacionado con problemas financieros también puede afectar nuestras relaciones con los demás, ya que puede generar tensiones y conflictos.

3. Relaciones interpersonales

Conflictos, relaciones difíciles con parejas, familiares, amigos o colegas pueden generar un estrés considerable. Los problemas interpersonales pueden provocar tensión, ansiedad y sentimientos de soledad, teniendo un impacto negativo en nuestras emociones y bienestar. A menudo, sentimos la presión social y las expectativas de los demás, lo que puede generar sensaciones de tensión y frustración en las relaciones.

4. Compromisos y obligaciones

La sobrecarga de trabajo, la falta de control sobre el tiempo y la constante satisfacción de las expectativas de los demás pueden generar estrés. Las dificultades para organizar el tiempo, manejar múltiples tareas simultáneamente y satisfacer todas las partes pueden generar una sensación de abrumo y frustración. A menudo, nos sentimos perdidos e incapaces de cumplir con todas nuestras obligaciones.

5. Cambios en la vida

Cambios significativos en la vida, como mudanzas, cambios de empleo, divorcios, pérdida de un ser querido o el nacimiento de un hijo, pueden provocar estrés. Incluso los cambios positivos a menudo vienen acompañados de incertidumbre y la necesidad de adaptarse a una nueva situación. Los desafíos emocionales asociados con estos cambios pueden afectar nuestro bienestar y nuestra capacidad para enfrentar el estrés.

Las formas de enfrentar el estrés y cómo aplicarlas

Enfrentar el estrés es una habilidad que cada persona puede desarrollar y perfeccionar. Hay muchas técnicas y estrategias probadas que ayudan a reducir la tensión y a recuperar la serenidad. Sin embargo, es importante recordar que cada individuo es único, y lo que funciona para uno no necesariamente funciona para otro. Por lo tanto, es esencial experimentar y encontrar métodos que se ajusten mejor a nuestras necesidades y preferencias.

Aquí tienes algunas métodos comúnmente utilizados para enfrentar el estrés:

1. Técnicas de relajación

Las técnicas de relajación, como los ejercicios de respiración, la meditación, el yoga y el tai chi, son formas efectivas de reducir el estrés. Los ejercicios de respiración ayudan a calmar la mente y el cuerpo mediante una respiración profunda y controlada. La meditación permite enfocarse en el momento presente, aumentar la conciencia de uno mismo y reducir la tensión. El yoga y el tai chi combinan elementos de movimiento, respiración y concentración, proporcionando alivio tanto a nivel mental como físico.

2. Actividad física

La actividad física regular es esencial para enfrentar el estrés. Correr, nadar, andar en bicicleta o levantar pesas no solo mejoran nuestra condición física, sino que también ayudan a liberar endorfinas, las hormonas de la felicidad que reducen el estrés y mejoran el estado de ánimo. La actividad física también actúa como una forma de relajación y un respiro frente a los desafíos diarios.

3. Alimentación equilibrada

Una alimentación saludable y equilibrada tiene un impacto significativo en nuestra capacidad para enfrentar el estrés. Evitar alimentos procesados, el exceso de cafeína y estimulantes como el azúcar puede contribuir a mantener un equilibrio hormonal y proporcionar energía a largo plazo. Consumir frutas frescas, verduras, cereales integrales y fuentes saludables de proteínas suministra los nutrientes esenciales necesarios para nuestro bienestar.

4. Gestión del tiempo

La gestión del tiempo es crucial para reducir el estrés. Planificar tareas, utilizar un calendario y establecer listas de prioridades ayuda a identificar las tareas más importantes y a concentrarse en ellas. Establecer metas realistas y considerar la delegación de algunas responsabilidades ayuda a reducir la carga de trabajo y el sentimiento de estar abrumado.

5. Encontrar apoyo social

El apoyo social juega un papel crucial en la gestión del estrés. Las relaciones cercanas y la comunicación con otras personas pueden proporcionarnos apoyo emocional y una perspectiva diferente. Participar en actividades sociales, hablar con amigos y familiares, así como recurrir a servicios de terapia o grupos de apoyo ayuda a reducir el estrés al compartir emociones y experiencias.

6. Autocuidado

El autocuidado es esencial para enfrentar el estrés. Tomarse tiempo para la relajación y el descanso es importante para nuestro bienestar mental. Probar diferentes técnicas de relajación, leer libros, escuchar música o participar en pasatiempos que brinden placer ayuda a reducir el estrés y ofrece momentos de alivio regular frente a la frenética rutina diaria.

7. Encontrar perspectiva

A veces, es útil dar un paso atrás ante una situación. Preguntémonos si la situación en cuestión es realmente tan importante como parece, o si nuestra excesiva focalización en ella está causando un estrés innecesario. Encontrar perspectiva nos permite considerar la situación de manera más objetiva y encontrar soluciones para reducir el estrés y aliviar la presión.

Cuáles son los beneficios de una gestión efectiva del estrés en la vida diaria

Descubramos la historia de Tomás, un hombre de 35 años que trabajaba en una gran empresa como jefe de proyecto. Tomás siempre fue un empleado ambicioso y aspiraba a tener éxito en su carrera, pero le costaba gestionar eficazmente su tiempo. Pasaba largas horas en el trabajo, descuidando su vida personal, y a pesar de ello, no lograba completar todas sus tareas a tiempo.

Finalmente, Tomás se dio cuenta de que necesitaba cambiar algo. Comenzó a leer libros sobre la gestión eficaz del tiempo, a tomar cursos y a buscar soluciones en línea. En última instancia, Tomás descubrió el sistema de gestión del tiempo desarrollado por David Allen, un conocido autor del libro "Getting Things Done".

Tomás comenzó por hacer una lista de tareas pendientes, tanto en el trabajo como en su vida personal. Luego desglosó cada tarea en pasos más pequeños para hacerlas más fáciles de lograr. Esto le permitió concentrarse en una sola tarea a la vez, en lugar de pensar en todas las cosas que aún tenía que hacer.

Tomás también empezó a utilizar tecnologías como aplicaciones de gestión del tiempo y calendarios para planificar mejor sus tareas y organizar su día. Se dio cuenta de que un tiempo bien organizado significaba una mayor productividad y menos estrés.

Pronto, Tomás comenzó a notar una mejora notable en su trabajo. Fue apreciado por sus superiores por su aumento de productividad, así como por obtener mejores resultados. Su vida personal también mejoró, ya que tenía más tiempo para su familia y amigos.

Observe los beneficios que obtuvo Tomás después de realizar ciertos cambios en su vida:

1. Aumento de la productividad

Gracias a una gestión eficaz del tiempo, Tomás se volvió más eficiente en la realización de sus tareas. La división de las tareas en pasos más pequeños y la concentración en una tarea a la vez le permitieron enfocar su atención y realizar sus tareas de manera eficaz. Esto le permitió obtener mejores resultados en el trabajo y sentirse más competente.

2. Menos estrés

Tomás notó que al gestionar eficazmente su tiempo y priorizar sus tareas, su nivel de estrés disminuyó considerablemente. Podía controlar mejor sus responsabilidades y evitar sentirse abrumado. La organización de su tiempo también le permitió encontrar un equilibrio entre su vida laboral y personal, lo que le brindó una mayor satisfacción y tranquilidad.

3. Mejora de las relaciones

El hecho de que Tomás tuviera más tiempo para sí mismo y para los demás mejoró sus relaciones con sus seres queridos y amigos. Podía prestar más atención a su familia, pasar tiempo con su pareja e hijos, y participar en actividades sociales. El aumento del apoyo social y el mantenimiento de relaciones cercanas contribuyeron a enfrentar mejor el estrés y fortalecieron su sensación de conexión con los demás.

4. Mejora de la salud mental y física

La gestión eficaz del estrés tuvo un impacto positivo en la salud de Tomás. Menos estrés y un mejor equilibrio entre el trabajo y la vida personal ayudaron a reducir los síntomas relacionados con el estrés, como la tensión muscular, el insomnio y los problemas digestivos. Además, la actividad física regular que Thomas incorporó en su vida contribuyó a mejorar su condición física y su bienestar general.

Saber gestionar eficazmente el estrés es esencial para mejorar la calidad de nuestra vida. Nos permite ser más productivos, disfrutar de una mejor salud, mantener buenas relaciones con los demás y experimentar más satisfacción en nuestras actividades diarias. Por eso, vale la pena invertir tiempo y esfuerzo en aprender técnicas efectivas para enfrentar el estrés y ponerlas en práctica.

Cómo cuidar de la salud mental en situaciones difíciles

En la vida de cada persona, surgen situaciones difíciles como pérdidas, problemas de salud, situaciones estresantes en el trabajo o dificultades en las relaciones. En tales momentos, cuidar de la salud mental se vuelve extremadamente importante. La salud mental desempeña un papel clave en nuestro funcionamiento diario, afectando nuestro bienestar, autoestima, capacidad para manejar el estrés y tomar decisiones.

Cuidar de la salud mental en situaciones difíciles tiene como objetivo ayudarnos a mantener un equilibrio emocional, fortalecer nuestra resistencia mental y enfrentar eficazmente los desafíos. Es un proceso dinámico e individual, y las técnicas y estrategias que funcionan para una persona no necesariamente funcionan para otra. No obstante, existen muchos métodos universales que pueden respaldar nuestra salud mental en momentos difíciles.

Un aspecto importante del cuidado de la salud mental es el desarrollo de la conciencia de uno mismo. Ser consciente de nuestras emociones, pensamientos y reacciones nos permite comprender mejor lo que está sucediendo en nuestro interior y cómo afecta nuestro bienestar. A través de la conciencia de uno mismo, podemos ser más conscientes de nuestras necesidades e identificar las estrategias de afrontamiento que mejor funcionan para nosotros.

Otro elemento esencial es la expresión de emociones. En situaciones difíciles, a menudo experimentamos emociones fuertes como tristeza, ira, ansiedad o impotencia. Es importante no reprimir estas emociones, sino encontrar formas saludables de expresarlas. Esto puede incluir conversaciones con personas de confianza, expresar los sentimientos en un diario personal o recurrir a la terapia. La expresión de emociones nos ayuda a liberar la tensión y mejorar nuestro bienestar.

En situaciones difíciles, el apoyo social juega un papel crucial. Los seres queridos, amigos, así como los grupos de apoyo, pueden ser una valiosa fuente de apoyo emocional y ayuda práctica. Compartir nuestras preocupaciones, miedos o dificultades con otras personas puede brindar alivio y ofrecernos una perspectiva.

Cuidar de nuestro cuerpo también es de gran importancia para la salud mental. La actividad física regular, una alimentación saludable, un sueño adecuado y evitar sustancias nocivas son esenciales para mantener un equilibrio mental. La actividad física regular ayuda a liberar endorfinas, las hormonas de la felicidad, mejora el estado de ánimo y reduce el estrés. Una alimentación saludable proporciona los nutrientes esenciales que favorecen la salud mental. Por último, un sueño de calidad y evitar sustancias nocivas afectan la calidad del sueño y el bienestar general.

También es esencial practicar técnicas de relajación. Ejercicios de respiración, meditación, yoga y tai-chi son solo algunas de las técnicas que ayudan a reducir el estrés y mejorar la salud mental. La práctica de estas técnicas nos permite relajarnos, recuperar la calma y aumentar nuestra resistencia al estrés.

Cabe destacar que cuidar de la salud mental es un proceso que requiere tiempo, paciencia y autodisciplina. Cada persona puede encontrar sus propias estrategias para enfrentar situaciones difíciles. Es importante estar abierto a experimentar y adaptar los métodos a nuestras necesidades individuales. Cuidar de la salud mental es una inversión en nuestro bienestar y tiene un impacto positivo en la calidad de vida, las relaciones y los logros, tanto en el ámbito profesional como personal.

Cuáles son las mejores formas de cuidar de la salud mental a diario para reducir el nivel de estrés

En el ritmo frenético de la vida actual, cuidar de la salud mental y reducir el estrés se ha vuelto extremadamente importante. Existen muchas métodos efectivos que podemos integrar en nuestra rutina diaria para mejorar nuestro bienestar y salud mental. Adoptando un enfoque holístico, podemos centrarnos en diferentes áreas de nuestra vida, como la actividad física, la respiración, la nutrición, las relaciones sociales y el descanso. Cada una de estas áreas tiene el potencial de influir en nuestro bienestar y puede ayudarnos a enfrentar el estrés.

Introducir una actividad física regular es una de las herramientas clave para reducir el estrés. El ejercicio físico, en cualquier forma, nos ayuda a liberar la tensión y a liberar endorfinas, que actúan como antidepresivos naturales. Otro aspecto importante es la técnica de la respiración, que nos permite centrarnos en el momento presente y aportar serenidad a nuestra mente. Esto puede incluir ejercicios de respiración, meditación o yoga, que nos permiten tomar un respiro, relajarnos y recuperar nuestro equilibrio.

Nuestra alimentación también juega un papel crucial en nuestra salud mental. Evitar el consumo excesivo de alimentos procesados y sustancias estimulantes como la cafeína, así como consumir frutas frescas, verduras y cereales integrales, ayuda a mantener el equilibrio hormonal y tiene un impacto positivo en nuestro bienestar. También es importante comer regularmente y evitar omitir comidas, ya que la falta de nutrientes puede llevar a un deterioro de la salud mental y un aumento del estrés. Al cuidar nuestra alimentación, proporcionamos a nuestro cuerpo y mente el combustible necesario para enfrentar mejor los desafíos diarios y las situaciones difíciles.

Las relaciones sociales son otro aspecto esencial de nuestra salud mental. Las relaciones cercanas, el apoyo social y la comunicación con otras personas pueden ser una fuente valiosa de apoyo emocional y ayuda práctica en situaciones difíciles. Por lo tanto, es importante invertir en la construcción y mantenimiento de relaciones saludables y satisfactorias con la familia, amigos y pareja. Ser parte de estos grupos nos brinda la oportunidad de establecer nuevas relaciones, compartir experiencias y apoyarnos mutuamente, lo que puede fortalecer nuestro sentido de pertenencia y aumentar nuestra autoestima.

No olvidemos la importancia del descanso y del tiempo para uno mismo. Un equilibrio adecuado entre el trabajo y el descanso es esencial para nuestra salud mental. Encontrar tiempo para relajarse, practicar un pasatiempo, leer libros o escuchar música nos permite recargar energías y relajarnos. Es esencial recordar que desconectarse regularmente de las responsabilidades diarias y dedicar tiempo al descanso y al placer no es un lujo, sino un elemento importante en el cuidado de nuestra salud mental.

Ejercicios Prácticos

Ejercicio 1. Ejercicios de Respiración

Reflexiona sobre los ejercicios de respiración que pueden ayudarte a enfrentar el estrés y mantener la calma en momentos difíciles. Aquí tienes algunas sugerencias:

1. Respiración Abdominal:

• Siéntate o acuéstate en una posición cómoda.

• Coloca una mano en tu pecho y la otra en tu abdomen.

• Inspira lentamente por la nariz, sintiendo cómo tu abdomen se eleva y se llena de aire.

• Exhala lentamente por la boca, sintiendo cómo tu abdomen desciende.

• Repite este proceso durante unos minutos, centrándote en una respiración regular y una sensación de calma.

2. Respiración con Conteo:

• Siéntate en una posición cómoda y concéntrate en tu respiración.

• Inspira lentamente por la nariz, contando mentalmente hasta cuatro.

• Haz una pausa en tu respiración, contando hasta siete.

• Exhala lentamente por la boca, contando hasta ocho.

• Repite este ciclo durante unos minutos, enfocándote en una respiración tranquila y en la liberación de la tensión.

3. Respiración con Visualización:

• Siéntate en una posición cómoda y cierra los ojos.

• Imagina un lugar hermoso que te evoque relajación y tranquilidad.

• Inspira lentamente por la nariz, sintiendo cómo obtienes energía y paz de ese lugar.

• Exhala lentamente por la boca, sintiendo cómo liberas la tensión y el estrés.

• Continúa esta respiración con visualización durante unos minutos, enfocándote en la armonía y la comodidad interior.

Elige el ejercicio de respiración que mejor se adapte a tus necesidades y preferencias. Practícalo regularmente, especialmente cuando sientas estrés o necesites relajar tu mente. Recuerda que la respiración es una herramienta poderosa para calmarse y relajarse, así que vale la pena utilizarla en la vida cotidiana.

Ejercicio 2. Mantenimiento de un Diario

Mantener un diario es una herramienta eficaz para hacer frente al estrés y organizar nuestros pensamientos. Así es cómo podemos practicar el mantenimiento de un diario:

1. Elije un lugar tranquilo donde puedas concentrarte en escribir.

2. Encuentra el formato de diario que te convenga, ya sea un cuaderno tradicional, una libreta o una aplicación en tu teléfono inteligente, según tus preferencias.

3. Comienza anotando tus pensamientos, sentimientos y experiencias. Puedes escribir sobre tus preocupaciones, lo que te hace feliz, tus objetivos y sueños.

4. Sé honesto/a en tu escritura. No te preocupes por la gramática o el estilo, deja que tus pensamientos fluyan libremente en el papel.

5. Mantén tu diario regularmente. Puede ser todos los días, cada pocos días o una vez a la semana; elige la frecuencia que mejor te convenga.

6. Al mantener tu diario, concéntrate en los aspectos positivos, busca cosas por las que estés agradecido/a y nota los pequeños éxitos.

7. Relee tus entradas anteriores para ver todo lo que has logrado y cómo han evolucionado tus pensamientos y sentimientos.

Mantener un diario te permitirá expresar tus emociones, comprenderte mejor y ganar perspectiva en situaciones difíciles. También es una excelente herramienta para realizar un seguimiento de tus progresos, apreciar los pequeños éxitos y mantener un equilibrio en tu vida diaria.

Ejercicio 3. Actividad Física

La actividad física es extremadamente importante para hacer frente al estrés y mantener una buena salud mental. Así es cómo podemos practicar la actividad física como medio para gestionar el estrés:

1. Elige una actividad física que te interese y te divierta. Puede ser correr, andar en bicicleta, bailar, hacer yoga, nadar o cualquier cosa que te traiga alegría.

2. Planifica sesiones de entrenamiento regulares. Elige días y horas que te convengan para asegurar la regularidad de tus entrenamientos.

3. Encuentra un compañero/a de entrenamiento. Puede ser un amigo/a, un miembro de la familia o un colega con quien puedas entrenar. Los entrenamientos en grupo te motivarán y te brindarán la oportunidad de fortalecer lazos y pasar tiempo con tus seres queridos.

4. Establece un plan de entrenamiento. Define los objetivos que deseas alcanzar y aumenta gradualmente la intensidad de tus sesiones de entrenamiento. No olvides escuchar a tu cuerpo y ajustar la intensidad según tus capacidades.

5. Disfruta del entorno natural para tu actividad física. Pasea por un parque, haz senderismo en la montaña o usa las rutas de ciclismo locales. El contacto con la naturaleza tiene un impacto positivo en tu bienestar.

6. Prueba diferentes formas de actividad física. Varía tus entrenamientos, experimenta con diferentes disciplinas y elige las que mejor se adapten a ti. Esto te permitirá evitar la monotonía y mantener tu motivación alta.

7. No olvides el estiramiento y la relajación. Después de cada entrenamiento, asegúrate de estirar bien tus músculos y tómate un momento de relajación, por ejemplo, practicando la meditación o la respiración profunda.

La actividad física te ayudará a liberar la tensión, aumentar tus niveles de endorfinas y mejorar tu bienestar general. Tendrás más energía, un mejor sueño y una mayor capacidad para hacer frente al estrés. Haz de la actividad física un elemento esencial de tu vida diaria.

Resumen

- El estrés puede ser desencadenado por diversos factores como la presión laboral, problemas financieros, relaciones interpersonales complicadas, compromisos y obligaciones, así como cambios significativos en la vida. Estos factores pueden afectar nuestra salud física y mental, así como nuestras relaciones con los demás.

- Existen numerosos métodos efectivos para hacer frente al estrés, como técnicas de relajación (ejercicios de respiración, meditación, yoga), actividad física, una alimentación equilibrada, gestión del tiempo, búsqueda de apoyo social y autocuidado.

- Enfrentar el estrés de manera efectiva conlleva muchos beneficios en la vida diaria, como una mayor productividad, una mejor salud mental, mejoras en las relaciones sociales, un equilibrio adecuado entre trabajo y vida personal, así como una satisfacción general de la vida.

- En situaciones difíciles, es importante cuidar de la salud mental mediante técnicas de autocuidado, desarrollo de apoyo social, utilización de recursos disponibles, mantener un pensamiento positivo y buscar ayuda profesional si es necesario.

- En la vida cotidiana, es útil cuidar de la salud mental manteniendo un equilibrio entre el trabajo y el descanso, invirtiendo en relaciones cercanas, dedicando tiempo al descanso y al disfrute, desarrollando habilidades para gestionar el estrés, manteniendo un estilo de vida saludable y tomando decisiones conscientes sobre nuestra salud mental.

Capítulo 7. Cultivar una mentalidad positiva: Cómo cambiar el pensamiento y enfoque de la vida para lograr más

"Tus creencias se convierten en tus pensamientos.

Tus pensamientos se convierten en tus palabras.

Tus palabras se convierten en tus acciones.

Tus acciones se convierten en tu vida."

- Mahatma Gandhi

¿Alguna vez te has preguntado cómo algunas personas tienen éxito y te has preguntado cómo lo logran? No es una fórmula mágica, sino más bien una mentalidad que podemos desarrollar juntos.

En este capítulo, nos centraremos en la ligereza y la diversión, ya que creemos que desarrollar una actitud positiva no debe ser algo serio y abrumador. Es un viaje en el que utilizaremos técnicas creativas y divertidas para descubrir nuestro propio potencial y comenzar a lograr más.

Te invitamos a tomarte un momento de relajación, dejar de lado todas tus preocupaciones y confiar en nosotros en esta aventura excepcional. Exploraremos juntos diferentes estrategias que te ayudarán a cambiar tu perspectiva, convirtiendo tus pensamientos en motivación y una actitud positiva.

Espera encontrar ejemplos inspiradores, contados de manera agradable y ligera. Descubrirás consejos prácticos para desarrollar el pensamiento optimista y aprovechar al máximo tu potencial. Ya seas escéptico o estés abierto a los cambios, este capítulo será una verdadera fuente de inspiración para ti.

Prepárate para explorar nuevos horizontes, romper los límites de tu pensamiento y abordar cada día con más entusiasmo. Estás entrando en el mundo del pensamiento positivo, ¿estás listo para participar? ¡Vamos allá!

Por qué es importante el pensamiento positivo y cuáles son sus beneficios

Marta era una persona llena de ansiedad e incertidumbre. Toda su vida tuvo miedo al fracaso y evitaba correr riesgos, lo que la bloqueaba eficazmente en su carrera y vida personal. Decidió que necesitaba cambiar algo y empezar a cultivar un pensamiento positivo.

Comenzó por aprender sobre el pensamiento positivo. Dejó de concentrarse en pensamientos negativos y empezó a pensar en sus metas y sueños de manera positiva. Aprendió afirmaciones que la ayudaron a fortalecer sus creencias positivas sobre sí misma y sus capacidades.

Además, empezó a utilizar técnicas de relajación como la meditación y el yoga para reducir el impacto del estrés en su vida. Esto la hizo más centrada y productiva.

Marta también empezó a escuchar su voz interior y a desarrollar su intuición. Comenzó a descubrir sus pasiones e intereses, lo que resultó en una vida más plena.

Sin embargo, lo más importante para ella fue fortalecer su autoestima y confianza en sí misma. Empezó a apreciar sus logros y éxitos, lo que le permitió creer más en sí misma y enfrentar desafíos.

Con el tiempo, Marta notó que el pensamiento positivo tenía un impacto enorme en su vida. Aquí hay algunos beneficios que resultaron del cambio en su mentalidad:

1. Mayor confianza en sí misma: Marta comenzó a apreciar sus logros y habilidades, lo que fortaleció su autoestima. Adquirió una mayor confianza en sus capacidades, lo que le permitió enfrentar nuevos desafíos y obtener mayores éxitos.

2. Menos impacto del estrés: Gracias a las técnicas de relajación, Marta aprendió a enfrentar el estrés y las emociones negativas. La práctica regular de la meditación y el yoga la ayudó a mantener la calma en situaciones difíciles y a mantener un equilibrio en su vida.

3. Mejor concentración y mayor productividad: Al enfocarse en pensamientos positivos, Marta notó que su mente estaba más concentrada. Esto se tradujo en una mayor productividad en el trabajo y una ejecución más eficiente de las tareas.

4. Descubrimiento de pasiones e intereses: Marta comenzó a escuchar su voz interior y a descubrir sus pasiones y sus intereses. Esto le permitió llevar una vida más satisfactoria, donde pudo florecer en áreas que realmente la inspiraban.

5. Relaciones positivas con los demás: El cambio en la mentalidad de Marta contribuyó a la creación de relaciones positivas con otras personas. Su optimismo y entusiasmo eran contagiosos, atrayendo a personas con una visión similar de la vida. Obtuvo apoyo e inspiración de los demás, fortaleciendo así su desarrollo y sus logros.

Marta experimentó estos beneficios y descubrió que el pensamiento positivo era la clave para una vida plena y satisfactoria. No importa los desafíos que se nos presenten, construir una mentalidad positiva puede brindarnos muchos beneficios y abrir la puerta a un potencial ilimitado.

Los errores de pensamiento que conducen a actitudes negativas y cómo evitarlos

Nuestros pensamientos tienen un impacto considerable en nuestras emociones, acciones y actitud general hacia la vida. Sin embargo, a menudo sucede, sin que seamos conscientes, que cometemos ciertos errores de pensamiento que llevan a actitudes negativas. Examinemos algunos errores comunes y aprendamos cómo evitarlos para cultivar una mentalidad positiva.

1. Catastrofización

La catastrofización es un error que consiste en dramatizar de manera excesiva y exagerar las consecuencias negativas de eventos o situaciones. A menudo caemos en la trampa de pensar en los peores escenarios posibles, lo que provoca ansiedad, preocupación y paraliza nuestras acciones. Cuando catastrofizamos, nuestra imaginación corre descontrolada, pintando imágenes frente a nosotros llenas de amenazas, desastres y fracasos. Nuestros pensamientos se magnifican, y nuestras emociones nos abruman. Comenzamos a perder nuestra perspectiva, y nuestra mente se enfoca exclusivamente en los aspectos negativos.

Para evitar la catastrofización, es esencial dar un paso atrás frente a estos pensamientos negativos y examinar la situación con una perspectiva más amplia. Podemos hacernos preguntas como: ¿Mis preocupaciones se basan en hechos? ¿Existen otros escenarios posibles? ¿Mis imaginaciones son realistas? También es útil concentrarse en el momento presente y encontrar alegría en el instante actual. Podemos practicar técnicas de reducción del estrés, como la meditación o la respiración.

2. El pensamiento en blanco y negro

El pensamiento en blanco y negro es otro error cognitivo que consiste en ver el mundo únicamente en términos de extremos, sin tener en cuenta las sutilezas. Cuando caemos en este tipo de pensamiento, nuestra perspectiva se distorsiona y nuestros juicios son extremos y unilaterales. Esta forma de pensar nos lleva a creer que las situaciones son totalmente buenas o totalmente malas, sin posibilidad de compromiso o consideración de diferentes perspectivas. Es una manera de ver el mundo en términos de "éxito" o "fracaso", "perfección" o "incompetencia", lo que conduce a un desequilibrio emocional y frustración.

Pour éviter la pensée en noir et blanc, il est important d'essayer de voir les situations et les événements de manière plus équilibrée. Il existe de nombreuses nuances entre ces extrêmes qui méritent d'être reconnues et prises en compte. Nous pouvons commencer par nous poser des questions telles que: Cette situation est-elle vraiment aussi extrême que je le pense? Existe-t-il d'autres perspectives que je n'ai pas prises en compte? Puis-je trouver des aspects positifs même dans des situations difficiles?

3. La personalización

La personalización es un error de pensamiento que consiste en asumir la responsabilidad de todo lo que sucede a nuestro alrededor, incluso si no tenemos control sobre la situación. Cuando caemos en la trampa de la personalización, tendemos a considerar todo como resultado de nuestras acciones o como algo vinculado personalmente a nosotros. Al aplicar cada evento a nosotros mismos, podemos sentirnos fácilmente culpables, heridos o deprimidos. Sin embargo, en realidad, muchas cosas suceden independientemente de nuestra voluntad e influencia. Otras personas tienen sus propias decisiones y motivaciones, y muchos eventos son simplemente aleatorios o resultan de fuerzas y circunstancias más amplias.

Para evitar la personalización, es importante hacer la distinción entre lo que podemos controlar y lo que no. Debemos reconocer que no somos responsables de todo y que no podemos controlar a otras personas ni factores externos. Es útil centrarse en lo que podemos controlar, como nuestras acciones, reacciones y actitud ante la situación. También es importante practicar la aceptación y el perdón hacia uno mismo por las cosas que no están bajo nuestro control.

4. La predicción de resultados negativos

La predicción de resultados negativos es un error de pensamiento que implica creer que todo terminará siempre en fracaso. Cuando caemos en la trampa de prever resultados negativos, a menudo nos volvemos pesimistas y desconfiados del futuro. Nuestros pensamientos están dominados por visiones de fracaso, decepción y pérdida. Esto puede generar un estrés insalubre, ansiedad y un miedo paralizante a tomar medidas.

Para evitar este error, es importante adoptar un enfoque más realista hacia el futuro. Debemos recordar que nuestras predicciones son solo una perspectiva posible y que la realidad puede ser mucho más matizada e impredecible. El pensamiento positivo y enfocarse en resultados positivos no significa ignorar las dificultades y los desafíos. Se trata más bien de mantener un equilibrio entre una visión realista de la situación y una esperanza positiva y confianza en uno mismo.

5. La comparación con los demás

La comparación con los demás es un error de pensamiento que a menudo afecta nuestro bienestar y autoestima. Conduce a un sentimiento constante de insuficiencia, frustración y baja autoestima. Cuando nos comparamos con los demás, nos centramos principalmente en sus logros externos y apariencia, a menudo ignorando nuestros propios talentos únicos, logros y progresos.

Olvidamos que cada uno de nosotros tiene un camino de vida diferente, objetivos y valores diferentes. La comparación con los demás es injusta y desleal hacia nosotros mismos.

Para evitar este error, es útil centrarse en nuestros propios logros y progresos. Debemos apreciar nuestras características y habilidades únicas que nos hacen individuos excepcionales. Es importante reconocer que cada persona tiene sus propios desafíos y dificultades, que no siempre vemos desde afuera. En lugar de compararnos con los demás, podemos enfocarnos en nuestro propio desarrollo y metas. Podemos establecer objetivos basados en nuestras propias valores y pasiones, en lugar de en expectativas sociales. También es importante rodearnos de personas que nos inspiren y apoyen, en lugar de realizar comparaciones tóxicas.

Cómo cambiar gradualmente el pensamiento negativo por el positivo, paso a paso

Cambiar el pensamiento negativo por el positivo es un proceso que requiere tiempo, esfuerzo y práctica regular. Inicialmente, nuestra tendencia al pensamiento negativo puede estar profundamente arraigada y ser automática, pero la clave del cambio radica en la conciencia y la voluntad de actuar.

El primer paso para pasar del pensamiento negativo al positivo es reemplazar las ideas negativas por pensamientos positivos específicos. Cuando identifiques pensamientos negativos, intenta romper ese patrón y dirigir tu atención hacia los aspectos positivos de la situación. Puede requerir práctica y conciencia, pero con el tiempo, podrás romper el hábito del pensamiento negativo y enfocarte más en los aspectos positivos de la vida.

Rodearte de personas positivas que apoyen tus esfuerzos y tengan una actitud optimista es esencial para mantener un pensamiento positivo. Aquellas personas que emanan energía positiva y te inspiran a mantener una actitud optimista pueden influir en tu propia forma de pensar y ayudarte a mantener una perspectiva positiva incluso en situaciones difíciles.

Cuidar de ti mismo es fundamental para mantener un pensamiento positivo. El autocuidado tanto físico como emocional es crucial. La actividad física regular, una alimentación saludable, un sueño adecuado y prácticas de relajación como la meditación o el yoga pueden ayudarte a mantener un equilibrio y una mentalidad positiva. Atender a tus necesidades físicas y emocionales te permite construir una base sólida para el pensamiento positivo.

También es importante ser paciente y amable contigo mismo en el proceso de cambio de pensamiento. Ya sea reemplazando pensamientos negativos por positivos o trabajando en una actitud positiva, no esperes resultados inmediatos. El cambio del pensamiento es un proceso gradual que requiere tiempo y esfuerzo.

Además, es esencial practicar conscientemente la gratitud y las afirmaciones positivas. Expresar regularmente gratitud por lo que tienes y apreciar los aspectos positivos de la vida ayuda a cambiar la perspectiva para hacerla más optimista. Las afirmaciones, es decir, frases o declaraciones positivas que te repites a ti mismo, pueden reforzar tus creencias positivas sobre ti mismo y tus habilidades.

Además, prestar atención a tus pensamientos y tu lenguaje interno es crucial. Trata de eliminar la autocrítica negativa y reemplazarla por un enfoque más constructivo. En lugar de decirte que no puedes hacer algo, piensa en cómo puedes lograrlo y en los pasos que puedes tomar en esa dirección.

Finalmente, rodearte de contenido positivo e inspirador puede ser beneficioso. Leer libros motivadores, escuchar podcasts inspiradores o participar en eventos que promueven el pensamiento positivo pueden brindarte motivación adicional y apoyo en tu camino hacia el pensamiento positivo.

El proceso de cambio del pensamiento negativo al positivo puede ser un desafío, pero la práctica regular del pensamiento positivo trae cada vez más beneficios. Cuanto más nos comprometemos en crear hábitos de pensamiento positivo, más desarrollamos nuestra capacidad para mirar el mundo con esperanza, optimismo y gratitud.

Recuerda que todos tienen pensamientos negativos en ocasiones, pero la clave está en ser consciente de estos pensamientos y tener la capacidad de dirigirlos hacia caminos más constructivos. Con el tiempo, al practicar el pensamiento positivo, podemos lograr un mejor equilibrio emocional, una mayor satisfacción en la vida y mejores relaciones con los demás.

Afirmaciones para fortalecer las creencias positivas sobre uno mismo y sus capacidades

Las afirmaciones son una herramienta poderosa que podemos utilizar para dar forma a nuestro pensamiento y fortalecer nuestras creencias positivas sobre nosotros mismos. Son frases simples o expresiones que nos repetimos regularmente para aumentar nuestra autoestima, confianza en nosotros mismos y creencias en nuestras capacidades.

Al repetir afirmaciones, influenciamos nuestra mente subconsciente, programándola hacia el éxito y el pensamiento positivo. Cuando nuestros diálogos mentales están dominados por creencias negativas, las afirmaciones actúan como una herramienta para transformar el pensamiento en positivo.

Es importante que las afirmaciones estén formuladas de manera positiva, en el presente y de manera concreta. Deben centrarse en lo que queremos lograr o en cómo queremos sentirnos. Por ejemplo, en lugar de decir "No soy sin valor", di "Tengo mucho valor y merezco amor y respeto". Las afirmaciones también deben estar arraigadas en nuestra realidad, como si ya estuviéramos experimentando los cambios positivos.

La repetición regular de las afirmaciones es clave para su efectividad. Puedes practicarlas diariamente, ya sea por la mañana al despertar o por la noche antes de dormir. También puedes escribir tus afirmaciones y colocarlas en lugares visibles, como el espejo del baño o el escritorio, para recordarte pensar en ellas a lo largo del día. Aquí tienes algunos ejemplos de afirmaciones que puedes utilizar:

1. Tengo la fuerza y el coraje para enfrentar todos los desafíos.

2. Tengo el potencial de alcanzar mis metas más grandes.

3. Cada día crezco y me convierto en una mejor versión de mí mismo.

4. Merezco el éxito y la realización en todas las áreas de mi vida.

5. Mis posibilidades son ilimitadas, puedo lograr todo lo que deseo.

6. Tengo la capacidad de enfrentar las dificultades y salir más fuerte.

7. Merezco el amor, el respeto y relaciones satisfactorias.

8. Mis acciones generan resultados positivos que contribuyen a mi éxito.

9. Tengo una sabiduría interior y una intuición que me guían hacia las decisiones correctas.

10. Estoy agradecido por todo lo que tengo y todo lo que experimento en mi vida.

Recuerda que las afirmaciones por sí solas no cambian la situación, pero influyen en nuestra actitud y forma de pensar, lo que a su vez puede llevar a acciones y resultados positivos. Es un proceso que lleva tiempo, paciencia y práctica regular. Sin embargo, los efectos pueden ser revolucionarios, mejorando nuestra autoestima, confianza y éxito en la vida.

Técnicas de relajación para reducir el impacto negativo del estrés en nuestra vida

Las técnicas de relajación son extremadamente valiosas porque nos permiten tomar un descanso, alejarnos de las preocupaciones diarias y darnos la oportunidad de recargarnos. Practicar estas técnicas nos ayuda a calmar la mente, liberar la tensión en nuestro cuerpo y restaurar nuestro equilibrio emocional. No se trata solo de una relajación temporal, sino también de una inversión en nuestra salud a largo plazo y nuestro bienestar.

Existen algunos ejemplos de técnicas de relajación efectivas que es útil utilizar para reducir el impacto negativo del estrés en nuestra vida.

1. Meditación

La meditación es una práctica antigua con raíces en diversas tradiciones espirituales y filosóficas. Su objetivo principal es alcanzar un profundo estado de paz interior, concentración y relajación. Durante la meditación, nos centramos en el momento presente, observando nuestros pensamientos, emociones y sensaciones, sin apegarnos ni juzgarlos.

Existen muchas técnicas de meditación diferentes, pero uno de los puntos de partida más comunes es enfocarse en la respiración. Al centrarse en el ritmo y la profundidad de la respiración, podemos adquirir una mayor conciencia de nosotros mismos y experimentar paz interior. La práctica regular de la meditación tiene muchos beneficios para nuestra mente, cuerpo y emociones. Nos permite calmar la mente, reducir el estrés y la tensión, mejorar la concentración y la claridad mental. Además, la meditación puede tener un impacto en nuestras emociones al ayudarnos a regular nuestras reacciones a situaciones difíciles y aumentar nuestro sentimiento de paz y felicidad.

2. Yoga

El yoga es una práctica antigua que combina los movimientos del cuerpo con la concentración y el control de la respiración. Practicar yoga no solo mejora la condición física, sino que también tiene un impacto positivo en la salud mental. Al enfocarse en las asanas (posturas) y realizar secuencias fluidas, el yoga permite relajarse y liberar tensiones corporales.

La combinación del movimiento del cuerpo, el control de la respiración y la meditación hace que el yoga sea una herramienta completa para reducir el estrés. Contribuye a aumentar la conciencia del cuerpo y la mente, lo que resulta en una profunda relajación y tranquilidad. Practicar yoga regularmente puede aportar muchos beneficios, como mejorar el bienestar, aumentar la flexibilidad, reducir la tensión muscular y aumentar el sentimiento de paz y equilibrio emocional.

3. Técnicas de Respiración

Las técnicas de respiración son una herramienta efectiva para reducir el estrés y restablecer el equilibrio, tanto a nivel físico como emocional. La respiración profunda, también conocida como respiración abdominal, implica una inhalación consciente y profunda, durante la cual el abdomen se expande, seguida de una exhalación controlada y concentrada. Este tipo de respiración tiene un efecto relajante al actuar sobre el sistema nervioso, disminuyendo el estrés y la tensión.

Otra técnica de respiración es la respiración de relajación, que consiste en una respiración lenta y tranquila, centrándose en alargar la exhalación. Un ejemplo podría ser la respiración a un ritmo de 4-6-8, es decir, inhalando durante 4 segundos, haciendo una pausa de 6 segundos y luego exhalando durante 8 segundos. Este ritmo respiratorio ayuda a disminuir la frecuencia cardíaca, a calmar el sistema nervioso y a reducir la sensación de tensión.

El uso regular de técnicas de respiración tiene muchos beneficios. Reducen los niveles de cortisol, la hormona del estrés, mejorando así el bienestar y la calidad del sueño. También ayudan a aumentar la conciencia del cuerpo y la mente, así como a desarrollar habilidades para enfrentar el estrés. Incluso sesiones cortas de respiración pueden proporcionar alivio y reducir la tensión en situaciones difíciles.

4. Relajación Muscular Progresiva

La relajación muscular progresiva es una técnica efectiva que nos permite conscientemente tensar y relajar diferentes grupos musculares para aliviar tensiones y estrés. La práctica comienza desde la parte más baja del cuerpo, como los pies, y progresa gradualmente hasta la cabeza.

Para aplicar esta técnica, es necesario sentarse o acostarse en una posición cómoda y centrarse en la respiración. Luego, nos enfocamos en un grupo muscular, lo tensamos durante unos segundos y luego lo relajamos gradualmente. Repetimos este proceso para diferentes grupos musculares, siendo conscientes de la diferencia entre la tensión y la relajación. Comenzando desde los pies, recorremos todo el cuerpo, notando la tensión y liberándola conscientemente.

La relajación muscular progresiva no solo busca reducir la tensión muscular, sino que también tiene un impacto en todo el organismo. Durante este proceso, el sistema nervioso se calma, y el nivel de estrés y tensión física disminuye. Además, la relajación muscular también afecta el estado emocional, ayudando a reducir la ansiedad y mejorar el bienestar general.

El uso regular de la relajación muscular progresiva tiene muchos beneficios para la salud y el bienestar. Permite calmar la mente, relajar el cuerpo y aumentar la conciencia interna. Es una herramienta efectiva que podemos utilizar en nuestra vida diaria para enfrentar el impacto negativo del estrés y mantener el equilibrio emocional.

5. El Arte de la Visualización

La visualización es una práctica en la que utilizamos el poder de la imaginación para crear mentalmente imágenes, situaciones o lugares que evocan una sensación de relajación y paz. Podemos cerrar los ojos e imaginarnos en un lugar hermoso y tranquilo, como una playa o un bosque, donde escuchamos el sonido de las olas o el canto de los pájaros. También podemos visualizarnos realizando actividades que nos proporcionen alegría y relajación, como pasear entre flores o nadar en agua cálida.

Durante la visualización, nos concentramos detenidamente en los detalles, como colores, sonidos y olores, para experimentar plenamente ese lugar o situación en nuestra mente. Esto evoca emociones positivas y nos ayuda a desconectar de pensamientos y experiencias estresantes. La práctica regular de la visualización nos permite transportarnos mentalmente a un lugar de paz interior y relajación, lo que tiene un impacto beneficioso en la reducción del estrés y la tensión en nuestra vida.

Desarrollar la intuición y escuchar la voz interior, fortalecer la confianza en uno mismo

El desarrollo de la intuición y la capacidad para escuchar la voz interior equivale a descubrir tesoros escondidos profundamente dentro de nosotros. Es la capacidad de silenciar el ruido externo y prestar atención a la sabiduría de nuestro ser interior. La intuición es como una voz sutil que nos guía en el camino correcto, nos ayuda a tomar decisiones en consonancia con nuestros valores y nos lleva hacia el crecimiento personal. Escuchar la voz interior es la habilidad de percibir señales y sensaciones que no están necesariamente relacionadas con la lógica, sino directamente con nuestra intuición y un profundo autoconocimiento.

Para desarrollar la intuición y la capacidad de escuchar la voz interior, es útil comenzar creando un espacio de silencio y reflexión. En el torbellino de las actividades diarias y el ruido externo, es fácil perderse en el caos y dejar de escuchar nuestra propia voz interior. Por eso es importante encontrar un momento de soledad, calmarse y enfocarse en nuestros propios pensamientos y emociones.

La base del desarrollo de la intuición es la escucha consciente. Se trata de la capacidad de prestar atención a las señales sutiles que emanan de nuestro ser interior. Puede ser una sensación en el estómago, cosquilleos ligeros en la piel, un pensamiento repentino o una voz interior que nos indica lo que es correcto. Sin embargo, escuchar la voz interior requiere práctica y paciencia. Debemos aprender a distinguir los mensajes internos del flujo de información externa y de nuestros propios pensamientos.

Para desarrollar la intuición, es importante confiar en nuestras sensaciones. A menudo, poseemos un conocimiento e intuiciones que pueden ayudarnos a tomar decisiones. Aunque no siempre podamos justificar lógicamente estas sensaciones, es importante confiar en ellas. Esto puede significar apartarse de las normas sociales y expectativas, pero cuanto más escuchamos nuestra intuición, más viviremos en armonía con nuestro verdadero ser.

Fortalecimiento de la autoestima y la confianza en uno mismo es otra área importante del desarrollo personal. A menudo, somos críticos con nosotros mismos y no reconocemos nuestros logros. Sin embargo, la verdad es que cada uno de nosotros posee muchas cualidades valiosas y talentos que merecen ser cultivados y apreciados. Aquí hay algunas formas de fortalecer la autoestima:

1. Reconoce tus éxitos

A menudo tendemos a centrarnos en nuestros fracasos e imperfecciones, olvidando lo que hemos logrado. Examina tus logros, grandes y pequeños, y aprécialos. Celebra tus éxitos, incluso los más modestos, y date cuenta de que cada uno de ellos ha contribuido a tu desarrollo.

2. Define tus valores y objetivos

Reflexiona sobre los valores más importantes para ti y los objetivos que deseas alcanzar en la vida. Cuando tienes valores y objetivos claramente definidos, es más fácil creer en tus habilidades y actuar con confianza en ti mismo. Recuerda que cada paso hacia tus objetivos es valioso y contribuye a tu crecimiento personal.

3. Practica afirmaciones positivas

Repite regularmente afirmaciones positivas sobre ti mismo y tus habilidades. Esto fortalecerá tu confianza en ti mismo y reforzará tu autoestima. Dite a ti mismo que eres lo suficientemente bueno, que tienes habilidades y el potencial para tener éxito. Asegúrate de que estas afirmaciones estén en consonancia con tus valores y celebren tu verdadera identidad.

4. Cuídate

Cuida tu salud y bienestar. Recuerda que tu valía no depende solo de tus logros externos, sino también de tu atención a tu cuerpo y mente. Cuídate, desarrolla tus talentos y pasiones, encuentra tiempo para relajarte y recargarte. Cuanto mejor te sientas en tu cuerpo y mente, más posibilidades tienes de fortalecer tu autoestima y confianza en ti mismo.

El desarrollo de la intuición, el fortalecimiento de la autoestima y la confianza en uno mismo son procesos que llevan tiempo, compromiso y una mayor comprensión de uno mismo. A través de prácticas como la escucha consciente, la confianza en tus sentimientos, la apreciación de tus éxitos, la definición de tus valores y objetivos, el uso de afirmaciones y el cuidado de ti mismo, puedes fortalecer tu conexión con tu voz interior y reforzar tu confianza en ti mismo. Esto conduce a una mayor armonía, confianza en uno mismo y desarrollo personal.

Ejercicio práctico

Ejercicio 1. Diario de gratitud

Comprométete a escribir diariamente en un diario de gratitud. Encuentra un momento regular en tu día que dedicarás a escribir en tu diario de gratitud. Puede ser justo después de despertarte, antes de dormir o en cualquier otro momento que te convenga.

Reflexiona sobre tres cosas por las cuales te sientes agradecido(a). Pueden ser eventos pequeños y cotidianos que te brinden alegría y satisfacción. Puede ser un delicioso desayuno, una palabra amable de un colega de trabajo o una hermosa vista desde la ventana.

Tu diario podría verse así:

Fecha: _____

Hoy, estoy agradecido(a) por:

1. El delicioso desayuno que comí. Fue sabroso y nutritivo, proporcionándome la energía necesaria para todo el día.

2. La sonrisa de un colega de trabajo. Su actitud positiva y sus comentarios humorísticos mejoraron mi bienestar y alegraron mi día.

3. La hermosa puesta de sol que contemplé esta noche. Sus cálidos colores y la atmósfera tranquila me hicieron sentir relajado(a) y agradecido(a) por la belleza de la naturaleza.

Recuerda que tu diario de gratitud es una práctica personal, así que adáptala a tus preferencias y necesidades. Convierte la escritura en tu diario de gratitud en un ritual regular que te ayudará a cultivar una mentalidad positiva y a apreciar los aspectos positivos de tu vida.

Ejercicio 2. Práctica del pensamiento positivo

La práctica del pensamiento positivo consiste en reconocer conscientemente los pensamientos negativos y transformarlos en creencias constructivas y positivas. Para comenzar, concéntrate en la conciencia de tus pensamientos, detente cuando identifiques pensamientos negativos y reemplázalos por creencias positivas y constructivas. Puedes anotar estas creencias en un cuaderno o una aplicación para crear conscientemente un estado mental positivo.

Por ejemplo, transforma los pensamientos "No soy lo suficientemente bueno(a) en lo que hago" en "Tengo potencial y estoy aprendiendo cada vez más" o "Nada funciona para mí" en "Realmente aprecio mis esfuerzos y éxitos, incluso si son pequeños".

Recuerda que la práctica del pensamiento positivo es un proceso que se desarrolla gradualmente. Cuanto más practiques la conciencia de tus pensamientos y la transformación de creencias negativas en positivas, más fácil te resultará pensar de manera positiva y desarrollar un estado mental positivo.

Ejercicio 3. Meditación de atención plena

La práctica de la meditación de atención plena es una excelente herramienta para cultivar un estado mental positivo. Comienza por encontrar un lugar tranquilo y apacible donde puedas concentrarte en la meditación. Siéntate cómodamente, cierra los ojos y concéntrate en tu respiración.

Comienza a observar conscientemente tu respiración, enfocándote en las inspiraciones y expiraciones. Observa cómo el aire entra y sale de tu cuerpo. Si surgen pensamientos, simplemente acéptalos y vuelve a tu respiración.

Durante unos minutos, permite que tu mente se calme y concéntrate en el momento presente. Enfócate en tu respiración, tu cuerpo y tu entorno. Observa tus sensaciones, los sonidos y los olores que te rodean.

La meditación de atención plena te permite desarrollar habilidades para mirar la realidad de manera consciente y aceptante. La práctica regular de la meditación de atención plena reduce el estrés, mejora la concentración y promueve una mente positiva y tranquila.

Considera integrar la meditación de atención plena en tu rutina diaria, comenzando con unos minutos al día y aumentando gradualmente el tiempo de meditación. Puedes utilizar diferentes aplicaciones o grabaciones disponibles que te guiarán en sesiones de meditación.

Recuerda que la meditación es una experiencia individual, así que ajústala a tus necesidades y preferencias. Practica regularmente para aprovechar los beneficios de la meditación de atención plena y desarrollar un estado mental positivo.

Resumen

• Trabajar en la construcción de una mentalidad positiva requiere la toma de conciencia de las propias debilidades, miedos y creencias negativas.

• El entrenamiento en la asertividad y las técnicas de relajación son herramientas eficaces para enfrentar los miedos y la incertidumbre.

• Centrarse en el pensamiento positivo y el uso de afirmaciones ayuda a transformar las creencias negativas en creencias más constructivas.

• Superar las limitaciones internas requiere perseverancia, paciencia y un enfoque sistemático.

• Trabajar en la construcción de una mentalidad positiva abre la puerta al éxito tanto a nivel personal como profesional.

• Una etapa clave es ganar autoconocimiento para identificar áreas de desarrollo y fortalecimiento.

• La aceptación de las debilidades es importante, pero también es crucial enfocarse en las fortalezas y utilizarlas para reforzar la confianza en uno mismo.

• La construcción de una mentalidad positiva es un proceso a largo plazo que requiere una reflexión constante sobre uno mismo y un perfeccionamiento continuo.

• Superar las limitaciones internas nos brinda más confianza, una apertura a nuevas oportunidades y el coraje para enfrentar desafíos.

• Al cambiar nuestro pensamiento y enfoque de la vida, somos capaces de lograr más, superando nuestras propias limitaciones y aprovechando nuestro pleno potencial.

Capítulo 8. Construir relaciones duraderas: Cómo establecer y mantener buenas relaciones con los demás

"No hay nada más valioso en la vida que tener buenas relaciones con los demás."

- Eleanor Roosevelt.

En la vida, no hay nada más precioso que tener buenas relaciones con los demás. Nuestras relaciones con la familia, amigos, pareja o colegas tienen un impacto en nuestro bienestar, desarrollo personal y éxito. Construir relaciones duraderas es la clave no solo para una vida satisfactoria, sino también para el apoyo mutuo, la comprensión y el crecimiento conjunto. En este capítulo, exploraremos los secretos para establecer y mantener buenas relaciones, compartiendo estrategias comprobadas y consejos prácticos. Prepárate para descubrir los elementos clave que te ayudarán a crear vínculos sólidos y establecer relaciones saludables y satisfactorias con los demás.

Como puedes ver, las relaciones interpersonales son de vital importancia para nuestro bienestar y desarrollo personal. Aquí tienes algunas razones por las cuales es importante cuidar estas relaciones y los beneficios que podemos obtener:

1. Apoyo emocional mutuo

Las relaciones interpersonales saludables nos permiten compartir nuestras emociones, preocupaciones y alegrías con otras personas, lo cual es esencial para nuestro bienestar emocional. En tiempos difíciles, como pérdidas, decepciones o problemas personales, tener a alguien que nos escuche y comprenda puede ser invaluable. Compartir emociones nos permite sentirnos aliviados, reducir el estrés, ganar perspectiva y construir lazos basados en la comprensión mutua y el apoyo.

Las relaciones basadas en el apoyo emocional mutuo nos brindan un sentimiento de seguridad y aceptación. Cuando tenemos personas cercanas dispuestas a apoyarnos en momentos difíciles, nos sentimos más fuertes y seguros para enfrentar las adversidades. Podemos abrirnos a ellos sin temor a ser juzgados o rechazados, lo que nos brinda una sensación de comodidad y confianza. Ser parte de una red social de apoyo también nos permite desarrollar habilidades de comunicación, empatía y capacidad para ayudar a los demás, contribuyendo así a nuestro desarrollo personal y satisfacción.

2. Aumentar el sentimiento de pertenencia

Ser parte de un círculo estrecho de personas nos brinda no solo apoyo emocional, sino también un sentimiento de pertenencia y conexión social. Cuando estamos rodeados de personas que nos aceptan y valoran, nos sentimos importantes y significativos para los demás. Esto tiene un impacto positivo en nuestra autoestima y aceptación personal. Saber que existimos para los demás, que nuestra presencia y contribución son importantes, nos ayuda a fortalecer nuestra autoestima y confianza.

Las relaciones sociales cercanas también nos ofrecen oportunidades para la interacción, experiencias compartidas y apoyo mutuo. Podemos compartir éxitos, alegrías, pero también desafíos y dificultades. Las personas cercanas a nuestra vida pueden no solo ser una fuente de apoyo, sino también de inspiración y motivación para alcanzar nuestros objetivos. A través de buenas relaciones sociales, tenemos la oportunidad de desarrollar habilidades de comunicación, empatía y capacidad para ayudar a los demás, contribuyendo así a nuestro desarrollo personal y satisfacción.

3. Oportunidad de aprendizaje mutuo

Las relaciones con otras personas son una excelente plataforma para el aprendizaje mutuo y el desarrollo. Cuando nos conectamos con individuos que tienen diferentes experiencias y perspectivas, nos abrimos a nuevas formas de ver el mundo y a la posibilidad de ampliar nuestros conocimientos. Al intercambiar información y participar en discusiones, podemos adquirir nuevas habilidades, descubrir nuevos intereses y crecer en muchas áreas. Las relaciones cercanas con otras personas nos ofrecen la oportunidad de ser inspirados y motivados para mejorar.

Compartir conocimientos y experiencias con otras personas nos permite ver nuestras propias habilidades y potencial bajo una nueva luz. Podemos ser una fuente de inspiración y apoyo para los demás, al tiempo que aprendemos cosas nuevas de ellos y nos desarrollamos. Estar en un entorno donde las personas tienen habilidades e intereses diversos nos brinda la oportunidad de ampliar nuestros conocimientos, descubrir nuevas perspectivas y desarrollarnos de una manera que sería difícil lograr solos. Las relaciones interpersonales estimulan nuestra curiosidad y nuestro deseo de aprender, lo cual es esencial para nuestro desarrollo personal.

4. Construir una red de apoyo

Las relaciones sólidas con otras personas crean una sólida red de apoyo, que es invaluable en muchos aspectos de la vida. Cuando enfrentamos dificultades, sabemos que podemos contar con las personas cercanas a nosotros para obtener ayuda y orientación. A menudo, basta con compartir nuestros problemas, y nuestros seres queridos están listos para escucharnos atentamente y ofrecernos apoyo emocional. Este sentimiento de apoyo y comprensión nos brinda la fuerza para enfrentar las situaciones más difíciles.

Además, las relaciones sólidas con otras personas nos brindan acceso a diversas recursos que pueden ayudarnos a alcanzar nuestros objetivos. Nuestros seres queridos pueden compartir sus conocimientos, experiencia y contactos, lo que puede abrir nuevas oportunidades para nuestro desarrollo. También tenemos la oportunidad de aprender de los demás, observar sus éxitos y extraer lecciones de su camino hacia el logro de un objetivo. Esto nos permite aumentar nuestras posibilidades de éxito aprovechando el potencial de las relaciones que establecemos.

5. Alegría de las interacciones sociales

Las relaciones sólidas con otras personas son una fuente de alegría y emociones positivas en nuestra vida. Compartir tiempo, experiencias y actividades comunes con personas cercanas nos brinda una gran satisfacción y refuerza nuestra sensación de felicidad. Los momentos pasados en su compañía, llenos de risas, bromas y experiencias compartidas, crean recuerdos inolvidables y fortalecen los lazos entre nosotros.

La búsqueda de objetivos, pasiones e intereses comunes refuerza aún más nuestras relaciones. Realizar actividades que amamos juntos crea un sentido de comunidad y satisfacción. Puede tratarse de un viaje común, un proyecto recreativo o incluso reuniones regulares para actividades compartidas. Las experiencias compartidas fortalecen los vínculos emocionales, crean un ambiente de apoyo mutuo y amistad.

Por qué es importante cuidar las relaciones interpersonales y cuáles son los beneficios de tener buenas relaciones con los demás

La importancia de cuidar las relaciones interpersonales y los beneficios derivados de buenas relaciones con los demás:

En la sociedad en la que vivimos, las relaciones interpersonales desempeñan un papel fundamental en nuestro funcionamiento diario. Los seres humanos son criaturas sociales por naturaleza, buscando cercanía, aceptación y conexión con los demás. Las relaciones interpersonales bien establecidas nos proporcionan un sentido de pertenencia, seguridad y apoyo mutuo, lo cual tiene un impacto positivo en nuestro bienestar emocional y psicológico. Al mismo tiempo, establecer y mantener buenas relaciones con los demás no solo es una fuente de placer, sino también un elemento clave para el éxito y la realización en diversos aspectos de nuestra vida.

Vivir con otras personas es parte integral de nuestra vida en sociedad. Cuidar de las relaciones interpersonales es de gran importancia para nuestro bienestar emocional, desarrollo personal y satisfacción general en la vida. Aquí hay algunas razones clave por las cuales es valioso invertir tiempo y esfuerzo en la creación y el mantenimiento de buenas relaciones con los demás:

1. Apoyo emocional

Las relaciones sólidas nos permiten compartir nuestras emociones, preocupaciones y alegrías. Cuando atravesamos momentos difíciles, tener personas cercanas que nos escuchan y comprenden nos brinda un valioso apoyo emocional. Esto nos ayuda a enfrentar el estrés, reducir el sentimiento de soledad y fortalecer nuestras habilidades para enfrentar los desafíos de la vida. La intimidad emocional que experimentamos en buenas relaciones interpersonales nos permite construir vínculos basados en la confianza y una comprensión profunda. Podemos ser abiertos y auténticos en la expresión de nuestras emociones, lo que contribuye a aumentar nuestra autoestima y desarrollo personal.

2. Desarrollo personal

Las relaciones con otras personas ofrecen una excelente oportunidad para el aprendizaje mutuo y el desarrollo. El intercambio de conocimientos, experiencias y perspectivas nos brinda la oportunidad de ampliar nuestros horizontes, adquirir nuevas habilidades y desarrollarnos como individuos. Otras personas pueden ser una fuente de inspiración, mentoría o proporcionarnos valiosos consejos para ayudarnos a alcanzar nuestros objetivos y progresar en diversos aspectos de la vida. A través de las interacciones con otras personas, podemos adquirir nuevas perspectivas, conocimientos y comprensión que enriquecen nuestra propia conciencia. Cada persona con la que interactuamos puede aportar experiencias y conocimientos únicos, permitiéndonos ver el mundo desde diferentes ángulos y desarrollar nuestra flexibilidad mental. El aprendizaje compartido y el intercambio de ideas estimulan nuestra creatividad y abren nuevas oportunidades de desarrollo.

3. Red de apoyo

Las relaciones sólidas crean una red de apoyo valiosa en diferentes aspectos de nuestra vida. Las personas cercanas pueden ayudarnos en situaciones difíciles, brindar consejos valiosos y compartir sus recursos y contactos. Esto nos brinda una sensación de seguridad y la certeza de que no estamos solos para enfrentar los desafíos que se presentan.

La red de apoyo que construimos a través de buenas relaciones con otras personas es una fuente inestimable de apoyo emocional y práctico. Podemos confiar en ayuda en situaciones difíciles, compartir responsabilidades, intercambiar habilidades o recibir un valioso respaldo para alcanzar nuestros objetivos. La solidaridad y la disposición para ayudar refuerzan nuestra resistencia mental y fortalecen nuestra comodidad y confianza en nosotros mismos.

4. Alegría y satisfacción

Las buenas relaciones con otras personas nos brindan alegría, satisfacción y emociones positivas. Pasar tiempo juntos, celebrar éxitos y divertirse crea recuerdos inolvidables y fortalece los lazos entre nosotros. Las relaciones cercanas nos proporcionan un sentido de pertenencia y comunidad que afecta nuestra felicidad y la calidad general de nuestra vida.

El bienestar emocional que proviene de buenas relaciones interpersonales no puede ser subestimado. Compartir momentos de alegría, risas y experiencias positivas con otras personas nos brinda satisfacción y refuerza nuestro sentimiento de felicidad. La creación de recuerdos compartidos y el intercambio de momentos agradables con personas cercanas son elementos irremplazables de nuestra vida, dándole significado y plenitud.

Qué comportamientos adoptar para establecer buenas relaciones con los demás y ganar su confianza

Cultivar relaciones interpersonales es un proceso que requiere esfuerzo, tiempo y coherencia. Es esencial ser auténtico, expresar respeto y empatía, y estar dispuesto a invertir en relaciones que sean significativas para nosotros. La construcción de buenas relaciones aporta beneficios tanto para nosotros como para los demás en nuestro entorno. Para establecer buenas relaciones con los demás y ganar su confianza, hay varios comportamientos valiosos que se pueden practicar:

1. Empatía y comprensión

Sea sensible a las emociones y necesidades de los demás. Esfuerce en ver la situación desde su perspectiva, muestre interés en sus experiencias y comprenda sus emociones. La empatía fortalece los vínculos y demuestra que está dispuesto a entender al otro. Ser sensible a las emociones y necesidades de los demás es esencial para construir buenas relaciones. Esforzarse por ver la situación desde su punto de vista nos permite comprender mejor sus emociones y experiencias, fortaleciendo así los lazos y mostrando nuestra disposición a comprender empáticamente a los demás.

2. Escucha activa y comunicación

Escuche atentamente, dé a la otra persona tiempo y espacio para expresarse. Evite interrupciones y concéntrese en lo que están diciendo. Comunique de manera clara y constructiva, evitando la agresión, el juicio y la crítica. La escucha atenta es un elemento clave en la construcción de buenas relaciones. Al darle a la otra persona tiempo y espacio para expresarse, evitando interrupciones y centrándose en lo que dicen, les está mostrando que sus palabras son importantes para usted. Una comunicación clara y constructiva, libre de agresiones, juicios y críticas, crea un ambiente de respeto mutuo y apertura, fomentando la construcción de confianza y cercanía en las relaciones.

3. Respeto y honestidad

Respeta las opiniones, valores y límites de los demás. Sé honesto, cumple tus promesas y evita la manipulación, las mentiras y comportamientos que pueden socavar la confianza. Respetar las opiniones, valores y límites de los demás es esencial para construir relaciones saludables. Al expresar respeto y aceptación por su individualidad, creamos un ambiente de confianza mutua y aceptación. También es importante ser honesto en nuestras acciones y palabras, cumplir nuestras promesas y evitar la manipulación y las mentiras. Garantizar la honestidad ayuda a construir autenticidad y fortalecer la credibilidad, lo cual es esencial para establecer y mantener relaciones duraderas con los demás.

4. Construir la confianza mediante la coherencia

Sé coherente en tus acciones y palabras. Prioriza la credibilidad y la honestidad en tus relaciones. Si prometes algo, intenta cumplir tu palabra. La coherencia en las acciones y palabras es esencial para construir la confianza en las relaciones. Cuando somos coherentes, mostramos a los demás que pueden contar con nosotros y que nuestras intenciones son auténticas. Asegurar la credibilidad y la honestidad en las relaciones crea bases sólidas sobre las cuales construir lazos duraderos y valiosos.

5. Mostrar interés y cuidado

Muestra interés en los demás y en sus vidas. Haz preguntas sobre sus asuntos, muestra preocupación y ofrece apoyo en momentos difíciles. Estar presente para los demás y mostrar interés en sus vidas es un elemento importante en la construcción de buenas relaciones. Hacer preguntas sobre su situación, escuchar atentamente y ofrecer apoyo en momentos difíciles muestra que estamos presentes y nos preocupamos por ellos. Esto crea una atmósfera de confianza y cercanía que fortalece los lazos entre las personas.

6. Enfoque positivo y abierto

Sé amigable, positivo y abierto a nuevas relaciones. Evita las actitudes negativas y la crítica. Busca puntos de interés comunes y construye relaciones sobre bases positivas. Ser amigable, positivo y abierto a nuevas relaciones hace que los demás se sientan cómodos en tu presencia. Evitar las actitudes negativas y la crítica contribuye a crear un ambiente de amistad y aceptación. Buscar puntos de interés comunes y construir relaciones sobre bases positivas fomenta la creación de lazos basados en la cooperación y la comprensión mutua.

Cómo enfrentar situaciones difíciles en las relaciones interpersonales y resolver conflictos

Enfrentar situaciones difíciles en las relaciones interpersonales y resolver conflictos es esencial para mantener relaciones saludables y satisfactorias. Los conflictos son inevitables en la vida, pero cómo los enfrentamos puede tener un impacto enorme en la calidad de nuestras interacciones con los demás. Existen varias estrategias efectivas que pueden ayudarnos a superar las dificultades y reparar las relaciones. Conocer estas estrategias puede ser útil para construir relaciones saludables y armoniosas con los demás.

El primer paso para enfrentar situaciones difíciles es la comunicación abierta y constructiva. Es importante poder expresar nuestros sentimientos, necesidades y expectativas de manera clara y escuchar sinceramente a la otra persona. La escucha sincera y empática es esencial, ya que nos permite comprender mejor la perspectiva de la otra persona y encontrar un terreno común. Evitemos interrumpir la conversación, centrémonos en escuchar y hagamos preguntas para comprender mejor la posición y las necesidades de la otra parte.

El siguiente paso es buscar soluciones basadas en el compromiso y el ganar-ganar. Los conflictos a menudo resultan de diferencias en las necesidades, expectativas y valores. Por lo tanto, es útil buscar soluciones que tengan en cuenta los intereses de ambas partes. Es importante ser flexible y estar abierto a las propuestas de la otra persona, buscando puntos de acuerdo y compromisos. Intentemos identificar objetivos comunes y centrémonos en buscar soluciones que sean satisfactorias para todas las partes involucradas.

El manejo de las emociones también es importante en la resolución de conflictos. Los conflictos pueden generar emociones intensas como la ira, la frustración o la herida. Es esencial intentar mantener la calma y evitar comportamientos agresivos u ofensivos. Cuando experimentamos fuertes emociones, puede ser útil hacer una pausa para tranquilizarnos y recoger nuestros pensamientos. No olvidemos usar un lenguaje constructivo y evitar críticas personales. Centrémonos en el problema en lugar de en las personas involucradas en el conflicto.

Si la situación requiere ayuda externa, puede ser útil considerar la mediación o el apoyo de profesionales. Un mediador puede ayudar a facilitar la conversación y encontrar una solución satisfactoria para ambas partes. Los terapeutas o consejeros también pueden ayudar a resolver situaciones difíciles y proporcionarnos herramientas para enfrentar eficazmente los conflictos.

También es importante buscar la comprensión, el perdón y el olvido. Las situaciones difíciles y los conflictos pueden causar heridas emocionales y pérdida de confianza. Sin embargo, si estamos dispuestos a perdonar y trabajar en la reconstrucción de la relación, podemos crear un futuro basado en la comprensión y la cooperación.

La resolución de conflictos y la gestión de situaciones difíciles en las relaciones interpersonales requieren tiempo, esfuerzo y compromiso. Sin embargo, invirtir en relaciones saludables y satisfactorias con personas valiosas es extremadamente importante para nuestro bienestar y felicidad. No olvidemos que cada conflicto es una oportunidad de aprendizaje y crecimiento, si lo abordamos con una mente abierta y una disposición a cooperar.

Cómo construir el compromiso y la lealtad en las relaciones interpersonales para crear vínculos duraderos y valiosos

Déjame contarte la historia de éxito de Alicia, quien construyó relaciones duraderas y valiosas con las personas a su alrededor.

Alicia era alguien que siempre valoraba las relaciones interpersonales y buscaba cuidarlas, ya fuera en el trabajo o en su vida personal. Siempre se tomaba el tiempo para hablar con los demás y escuchar, ofreciendo su ayuda cuando era necesario. Esto le valió la reputación de ser una persona confiable y dispuesta a ayudar.

Sin embargo, el verdadero desafío se presentó cuando Alicia recibió una oferta de trabajo en una nueva empresa, donde tendría que trabajar en un equipo compuesto por personas con personalidades y enfoques laborales diferentes. A pesar de ello, Alicia decidió aceptar este desafío y construir buenas relaciones con cada persona del equipo.

Al principio, Alicia dedicó mucho tiempo a conocer a sus nuevos colegas y a hablar sobre diversos temas. También buscó comprender sus enfoques individuales hacia el trabajo y adaptar sus acciones a las necesidades de todo el equipo. Esto le ganó su respeto y confianza.

Cuando surgieron problemas y situaciones difíciles dentro del equipo, Alicia decidió tomar la iniciativa y proponer soluciones. Escuchaba los comentarios y opiniones de los demás, pero también sabía expresar firmemente su punto de vista y convencer a los demás desde su perspectiva. Gracias a esto, el equipo funcionaba de manera fluida y eficiente, y las relaciones entre sus miembros se volvieron aún mejores.

Alicia nunca olvidó reconocer los méritos de los demás y apreciar su trabajo. Esto hizo que cada miembro del equipo se sintiera importante y motivado para trabajar. Finalmente, logró construir un equipo que trabajaba en armonía y alcanzaba eficientemente los objetivos de la empresa.

Esta historia de éxito muestra que vale la pena cuidar las relaciones interpersonales e invertir tiempo y esfuerzo. Construir relaciones positivas con otras personas puede traer muchos beneficios, como la confianza, el respeto, el apoyo y la motivación. Para lograrlo, es importante escuchar a los demás, comprender sus necesidades y enfoques individuales hacia el trabajo, y estar dispuesto a ofrecer ayuda y apoyo.

Los errores más comunes en las relaciones interpersonales y cómo evitarlos

En las relaciones interpersonales, es frecuente cometer errores que pueden tener un impacto negativo en la calidad y durabilidad de esas relaciones. Comportamientos inconscientes o mal adaptados pueden llevar a conflictos, malentendidos y pérdida de confianza. Por lo tanto, es importante ser consciente de estos errores y buscar evitarlos.

Uno de los errores más comunes es la falta de comunicación abierta y efectiva. No expresar adecuadamente las necesidades, transmitir información de manera vaga o no escuchar efectivamente a la otra persona puede generar frustración y malentendidos. Es crucial prestar atención a una comunicación efectiva, escuchar atentamente a la otra persona y estar dispuesto a expresar pensamientos y sentimientos de manera clara y constructiva.

Otro error es la falta de empatía y comprensión hacia la otra persona. A menudo, nos centramos únicamente en nuestras propias necesidades y perspectivas, sin tener en cuenta los sentimientos y experiencias de la otra persona. Es útil intentar ver la situación desde el punto de vista del otro, mostrar interés y empatía para construir relaciones más profundas y satisfactorias.

Un exceso de críticas y actitud negativa también puede deteriorar las relaciones. Centrarse constantemente en los errores y defectos de la otra persona puede disminuir su confianza y llevar a conflictos. Es importante centrarse en los aspectos positivos de la otra persona, apreciar sus esfuerzos y mostrar reconocimiento. La crítica constructiva debe ser equilibrada y dirigirse al desarrollo en lugar de atacar a la persona.

Otro error a evitar es la falta de respeto y tolerancia hacia los demás. Cada individuo tiene derecho a tener sus propias valores, opiniones y límites. Evitemos la discriminación, los prejuicios y los comportamientos agresivos. Es esencial tratar a los demás con respeto y tolerancia, creando un ambiente de aceptación y comprensión.

No olvidemos que las relaciones requieren equilibrio. Una relación desequilibrada, en la que una parte domina a la otra, puede generar frustración y descontento. Es importante asegurarse de la igualdad, permitiendo que ambas partes expresen sus necesidades y sentimientos, así como tomando decisiones de manera conjunta.

También evitemos alimentar resentimientos y no perdonar. Guardar en uno mismo la ira y las emociones negativas puede destruir las relaciones. Es útil practicar el perdón y aprender de experiencias pasadas para construir relaciones saludables y armoniosas.

La conciencia de estos errores y el esfuerzo por evitarlos pueden contribuir a crear y mantener relaciones interpersonales saludables y satisfactorias. Cada uno de nosotros puede aprender y desarrollarse en este aspecto para construir vínculos basados en el respeto mutuo, la comprensión y la confianza.

Herramientas y técnicas de comunicación para construir relaciones positivas con los demás

Para construir relaciones positivas con los demás, es útil utilizar diversas herramientas y técnicas de comunicación. Una comunicación efectiva es esencial para comprender, colaborar y mantener relaciones interpersonales saludables. Aquí tienes algunas de estas herramientas y técnicas:

1. Escucha activa

Concéntrate en la otra persona y dale toda tu atención. Escucha atentamente sin interrumpir, trata de comprender su perspectiva y emociones. Demuestra interés y empatía asintiendo, parafraseando y haciendo preguntas. Practicar la escucha activa permite que la otra persona se sienta escuchada y comprendida, fortaleciendo así el vínculo y la relación.

2. Comunicación verbal y no verbal

Presta atención no solo a lo que dices, sino también a cómo lo dices. Sé consciente de tu tono de voz, gestos, expresión facial y postura, ya que estos elementos pueden comunicar información adicional e influir en la forma en que se perciben tus mensajes.

3. Expresión de emociones y necesidades

Sé sincero y abierto al expresar tus emociones y necesidades. Comunica de manera clara, respetando también las emociones y necesidades de la otra persona. La expresión de tus propias emociones y necesidades contribuye a fortalecer el vínculo y la comprensión entre los individuos.

4. Resolución de conflictos

Los conflictos son inevitables en las relaciones, pero es importante manejarlos de manera constructiva. Evita la agresión y la crítica, y céntrate en buscar soluciones mutuamente aceptables. Busca compromisos y soluciones ganar-ganar, donde ambas partes se sientan satisfechas.

5. Expresión de reconocimiento y agradecimiento

Valora y reconoce los comportamientos y logros positivos de la otra persona. Expresa gratitud por sus esfuerzos y contribuciones. Esto refuerza las relaciones positivas y crea un ambiente de apoyo mutuo.

6. Construcción de la confianza

Actúa de acuerdo con tus palabras y cumple tus promesas. Sé creíble y honesto en tus acciones. La coherencia y la honestidad en tus acciones construyen la confianza y fortalecen las relaciones.

Mantener una comunicación abierta y honesta, practicar la empatía y la escucha activa, así como expresar reconocimiento y gratitud, son fundamentales para construir relaciones positivas y duraderas. Estas prácticas fomentan la comprensión mutua, la confianza y la colaboración en las relaciones interpersonales.

Ejercicio práctico

Ejercicio 1: Escucha Activa

En tus interacciones diarias con otras personas, practica la escucha activa para ayudarte a construir mejores relaciones. Por ejemplo, cuando hables con un amigo, concédele toda tu atención y céntrate en lo que está diciendo. Apaga tu teléfono móvil y elimina cualquier otra distracción para poder estar presente en la conversación. Presta atención a las palabras, al tono de voz y a la gestualidad de tu interlocutor, ya que pueden proporcionar información adicional sobre su estado emocional.

Intenta comprender la perspectiva de la otra persona y sus emociones. Puedes hacerlo haciendo preguntas y mostrando interés. Por ejemplo, si hablas con un amigo que te cuenta sobre su difícil día de trabajo, podrías preguntar: "¿Cómo te sentías en esa situación?" o decir: "Entiendo que debió de ser estresante. ¿Cómo lo manejas?" Recuerda que el objetivo de la escucha activa es centrarse en la otra persona, no en tus propios pensamientos y creencias.

Evita interrumpir a tu interlocutor y centrarte en tus propios pensamientos. A veces, estamos tentados a interrumpir a la otra persona para expresar nuestra propia opinión o compartir nuestra propia experiencia. Sin embargo, en el caso de la escucha activa, es preferible darle a tu interlocutor el espacio necesario para expresar sus pensamientos y sentimientos sin interrupciones. Ten en cuenta que el objetivo es comprender a la otra persona, no solo expresar tu propio punto de vista.

Ejercicio 2: Expresar Gratitud

Expresa regularmente tu gratitud hacia los demás, apreciando sus buenas acciones, ayuda, apoyo o las influencias positivas que tienen en tu vida. La expresión de gratitud no debe limitarse a situaciones excepcionales. Estate atento a los gestos y buenas acciones diarias de los demás, como palabras amables, una sonrisa o ayuda con pequeñas cosas. Puedes agradecer a un camarero por su buen servicio en el restaurante, a un compañero de trabajo por su ayuda en un proyecto, o a un vecino por cuidar de tu mascota en tu ausencia.

Recuerda que la expresión de gratitud puede tomar diferentes formas adaptadas a la situación y preferencias. Puedes expresar personalmente palabras de reconocimiento, escribir una nota, enviar un mensaje de texto o un correo electrónico, e incluso compartir públicamente tu gratitud en las redes sociales. Es un gesto importante no solo para el destinatario, sino también para ti, ya que te ayuda a centrarte en los aspectos positivos de las relaciones y a crear un ambiente de respeto mutuo y reconocimiento.

Ejercicio 3: Mantener el Contacto

Cuida de mantener un contacto regular con las personas importantes en tu vida, como tu familia, amigos, pareja o mentores. Sé proactivo para mantener estas relaciones participando en diferentes formas de comunicación, como llamadas telefónicas regulares, encuentros para tomar un café, actividades compartidas o el envío de mensajes. Muestra interés en sus vidas, escucha sus historias y participa emocionalmente.

Por ejemplo, llama regularmente a tus padres o encuéntralos para almorzar y discutir sobre su vida diaria, salud y brindarles apoyo emocional. Organiza encuentros con amigos para tomar un café o dar un paseo y hablar sobre sus sueños, éxitos y problemas. También puedes participar en actividades interesantes juntos, como talleres, salidas a conciertos o excursiones, para crear experiencias compartidas y fortalecer los vínculos. Además, envía mensajes o correos electrónicos para compartir pensamientos positivos, felicitaciones o para planificar futuros encuentros.

Resumen

• Muestra empatía e interés hacia la otra persona escuchándola atentamente y buscando comprender su perspectiva.

• Comunícate de manera clara y constructiva, evitando la agresión, el juicio y la crítica.

• Respeta las opiniones, valores y límites de los demás, creando una atmósfera de respeto mutuo.

• Sé honesto, cumple tus promesas y respeta tus compromisos, preservando tu credibilidad.

• Demuestra interés y preocupación por los demás haciendo preguntas sobre sus asuntos y ofreciendo apoyo en momentos difíciles.

• Crea un ambiente positivo evitando un enfoque negativo y centrándote en los puntos de interés comunes.

• Maneja las dificultades y los conflictos de manera constructiva, buscando compromisos y soluciones beneficiosas para ambas partes.

• Expresa tu gratitud y aprecia los comportamientos y logros positivos de la otra persona.

• Actúa de acuerdo con tus palabras, cumple tus promesas y sé coherente en tus acciones.

• Está abierto a la comunicación y a la resolución de problemas para evitar la acumulación de tensiones y mantener relaciones saludables.

Capítulo 9. Cuidado personal: Cómo cuidar el cuerpo y la mente para mantener una buena condición física y emocional

"No hay nada más importante que la salud,

ya que sin ella no podemos lograr nada."

- Johann Wolfgang von Goethe.

Johann Wolfgang von Goethe notó con razón que la salud es un tesoro inestimable, que constituye el fundamento de nuestros logros y prosperidad. Cuidar de uno mismo, tanto física como emocionalmente, es un elemento clave de una vida armoniosa y la construcción de un bienestar duradero. En este capítulo, exploraremos la importancia de cuidar nuestro cuerpo y mente, y descubriremos diversas estrategias y prácticas que nos ayudarán a mantener una buena salud y bienestar en muchos aspectos.

Nuestro cuerpo y mente están indisolublemente vinculados, creando una unidad sinérgica extraordinaria. Es por eso que es tan importante cuidar ambos aspectos para disfrutar plenamente de la vida y tener éxito. En este capítulo, aprenderemos a encontrar el equilibrio entre la actividad física y el descanso, a cuidar nuestra alimentación e hidratación, así como a mimar nuestra mente con técnicas de relajación y desarrollo personal.

En el mundo constante y dinámico en el que vivimos, cuidar de uno mismo se vuelve aún más crucial. Proporcionarse un apoyo emocional adecuado, manejar el estrés, mantener una actitud positiva y cultivar relaciones interpersonales son elementos que contribuyen a mantener un equilibrio emocional saludable.

Cuidar de uno mismo no es simplemente un esfuerzo puntual, sino un estilo de vida que requiere regularidad y compromiso. Sin embargo, las recompensas derivadas de este cuidado son invaluables. Obtener energía, vitalidad, claridad mental y serenidad emocional se traduce en una mejora de la calidad de vida en general y tiene un impacto en nuestras relaciones con los demás, así como en el logro de nuestros objetivos.

En este capítulo, exploraremos la importancia de cuidar de uno mismo, descubriremos consejos prácticos para un estilo de vida saludable, examinaremos estrategias para gestionar el estrés y presentaremos diversas metodologías para cultivar nuestra mente. Prepárate para un viaje que te ayudará a descubrir el potencial de tu cuerpo y mente, para disfrutar plenamente de la vida y construir un bienestar duradero.

La importancia de un estilo de vida saludable para el bienestar general y la condición física

Un estilo de vida saludable desempeña un papel extremadamente importante en nuestro bienestar general y nuestra condición física. Tiene un impacto directo en nuestra energía, rendimiento, capacidad para manejar el estrés y nuestra calidad de vida en general. Cuidar adecuadamente de nuestro cuerpo y mente nos ayuda a sentirnos mejor tanto física como emocionalmente, lo que se refleja en nuestra actividad diaria y satisfacción.

Un estilo de vida saludable abarca varios elementos clave, como la actividad física regular, una alimentación adecuada, una cantidad suficiente de sueño y descanso, así como la evitación de sustancias perjudiciales como el alcohol y el tabaco. El ejercicio físico regular ayuda a fortalecer nuestro cuerpo, mejorar la circulación sanguínea y mantener un peso saludable. Una alimentación adecuada proporciona a nuestro cuerpo los nutrientes esenciales, vitaminas y minerales necesarios para su correcto funcionamiento.

También es importante cuidar de nuestra mente y emociones. Las técnicas de relajación, la meditación y la práctica de la atención plena nos ayudan a reducir el estrés, aumentar nuestra conciencia de nosotros mismos y del momento presente. Mantener una actitud positiva, relaciones interpersonales saludables y desarrollar habilidades para enfrentar las dificultades emocionales son igualmente importantes para nuestro bienestar general.

Un estilo de vida saludable requiere un enfoque consciente y regularidad, pero las recompensas que obtenemos son invaluables. Experimentamos un aumento de la energía, un mejor rendimiento, una mejor condición física, una mayor resistencia al estrés, así como una mejora en nuestro estado de ánimo y bienestar. Cuidar de nuestro cuerpo y mente es una inversión en nuestro bienestar y calidad de vida, que conlleva muchos beneficios en diferentes niveles.

Además de los beneficios físicos y emocionales, un estilo de vida saludable también tiene repercusiones a largo plazo en nuestra salud. La actividad física regular y buenos hábitos alimentarios contribuyen al mantenimiento de una presión arterial normal, niveles saludables de colesterol, un sistema cardiovascular saludable y reducen el riesgo de muchas enfermedades como la obesidad, la diabetes tipo 2 y las enfermedades cardiovasculares.

Cuidar de nuestro cuerpo y mente tiene un impacto positivo no solo en nuestro propio bienestar, sino también en nuestras relaciones con los demás. Cuando nos sentimos bien física y emocionalmente, somos más abiertos, seguros y positivos, lo que favorece la construcción de relaciones saludables y satisfactorias con los demás. Además, al tener una mentalidad positiva, estamos mejor preparados para hacer frente a las demandas de la vida cotidiana y alcanzar nuestros objetivos.

Los ejercicios físicos beneficiosos para tu cuerpo

Los ejercicios físicos ofrecen numerosos beneficios a nuestro cuerpo. Fortalecen los músculos, mejoran la flexibilidad, la resistencia y la salud cardiovascular. La actividad física regular también contribuye al mantenimiento de un peso corporal saludable, regula los niveles de colesterol y azúcar en la sangre, al tiempo que fortalece el sistema inmunológico. Además, el ejercicio es un medio eficaz para reducir el estrés, mejorar el estado de ánimo y la calidad del sueño.

Existen muchas formas de actividad física que te permiten cuidar de tu cuerpo. Aquí tienes algunos ejercicios que deberías considerar:

1. Ejercicios aeróbicos

Los ejercicios aeróbicos como correr, nadar, andar en bicicleta, caminar nórdico o saltar la cuerda son excelentes formas de fortalecer el corazón y mejorar la condición física general. Estas actividades involucran a muchos músculos, aumentando el flujo sanguíneo y la oxigenación de los tejidos. Practicar regularmente ejercicios aeróbicos ayuda a mejorar la capacidad física, aumentar la capacidad pulmonar y fortalecer la resistencia general del cuerpo. Además, este tipo de actividad contribuye a la quema de calorías, lo cual es esencial para mantener un peso corporal saludable.

2. Entrenamiento de fuerza

El entrenamiento de fuerza es otro elemento esencial de un estilo de vida saludable. El uso de pesas, kettlebells, máquinas de entrenamiento de fuerza o el peso corporal para realizar ejercicios de fortalecimiento muscular ayuda a fortalecer los músculos, mejorar la postura corporal y aumentar la fuerza y resistencia general. Los entrenamientos de fuerza regulares contribuyen a construir masa muscular, lo que tiene un impacto favorable no solo en la apariencia física, sino también en la salud del sistema musculoesquelético.

3. Ejercicios de estiramiento

Los ejercicios de flexibilidad y estiramiento, como el yoga, el pilates, los estiramientos o los ejercicios de movilidad, son importantes para mantener la flexibilidad muscular, mejorar el rango de movimiento de las articulaciones y mantener una postura corporal adecuada. Practicar regularmente estas actividades ayuda a relajar los músculos tensos, mejorar el equilibrio muscular y reducir el riesgo de lesiones.

4. Ejercicios de resistencia

Los ejercicios de resistencia, como el entrenamiento por intervalos, correr en una cinta, ciclismo estacionario o bailar, tienen como objetivo mejorar la resistencia física general. Estas actividades involucran el corazón y la circulación sanguínea, contribuyendo así a aumentar la resistencia del cuerpo. Además, los ejercicios de resistencia ayudan en la quema de calorías, lo cual es esencial para mantener un peso corporal saludable y reducir la grasa corporal.

5. Actividades al aire libre

Las actividades al aire libre, como caminar, correr, escalar, patinar o practicar deportes de pelota, permiten disfrutar de los beneficios de la actividad física mientras se aprecia el entorno natural. Estas actividades ofrecen la oportunidad de pasar tiempo activo al aire libre, influyendo positivamente en la condición física, el fortalecimiento muscular y el bienestar general.

Es importante elegir ejercicios que se ajusten a tus preferencias y nivel de condición física, e incorporarlos regularmente a tu rutina para aprovechar los beneficios para la salud física y mental que brinda la actividad física regular.

Una alimentación saludable y hábitos alimentarios que influyen en la condición física y mental

Permíteme contarte la historia de Artur, quien decidió cuidar su cuerpo y su mente para mejorar su bienestar general y su salud.

Artur trabajaba en una gran empresa como jefe de proyecto. Su trabajo era muy exigente y estresante, lo que tenía repercusiones en su salud y bienestar. Se sentía frecuentemente cansado, le costaba concentrarse y era propenso a enfermedades.

Decidió que tenía que cambiar algo para mejorar su salud y bienestar. Comenzó integrando una alimentación saludable en su vida. Redujo su consumo de comida rápida y dulces, y empezó a preparar comidas saludables en casa. También empezó a beber más agua, lo cual tuvo un impacto positivo en su bienestar general.

El siguiente paso que Artur tomó fue incorporar ejercicios físicos regulares en su rutina diaria. Comenzó con cortas sesiones de entrenamiento muscular en casa, luego decidió inscribirse en clases de boxeo en un gimnasio local. El ejercicio no solo le permitió aumentar su resistencia y fuerza, sino que también le ayudó a reducir el estrés y mejorar su estado de ánimo.

Artur también cuidó su sueño. Empezó a acostarse más temprano y a despertarse a una hora regular, lo que le ayudó a mejorar la calidad de su sueño y tener más energía durante el día. Además, comenzó a practicar técnicas de relajación como la meditación y la respiración profunda, lo que le ayudó a reducir el estrés y mejorar su bienestar general.

Gracias a su compromiso con un estilo de vida saludable, Artur mejoró su salud y bienestar. Se sentía más concentrado y relajado, y también tenía más energía durante el día. Además, tenía una actitud más positiva hacia la vida, lo cual se reflejaba en sus relaciones con los demás.

L'histoire d'Artur muestra lo importante que es cuidar tanto de nuestro cuerpo como de nuestra mente. Una alimentación saludable, ejercicio físico regular, un sueño adecuado y técnicas de relajación son elementos clave de un estilo de vida saludable. Su integración puede llevar a cambios positivos, mejorar el bienestar general y fortalecer la capacidad para enfrentar el estrés. Es una inversión en nuestra salud y bienestar que brinda beneficios duraderos. Te animamos a actuar y cuidar de tu cuerpo y mente para disfrutar plenamente de la vida.

Cómo Cuidar la Higiene del Sueño y Por Qué el Sueño es Tan Importante para Nuestra Salud

El sueño desempeña un papel sumamente importante en nuestra salud y bienestar general. Es durante el sueño que nuestro cuerpo se regenera, nuestra energía se renueva y nuestra mente tiene la oportunidad de descansar. Por ello, es esencial cuidar la higiene del sueño y asegurarse de disfrutar de un sueño más saludable y reparador. Aquí hay algunos principios a seguir para cuidar de la higiene del sueño:

1. Regularidad

Mantener un horario de sueño regular es esencial para un sueño saludable. Al establecer horas fijas para acostarse y despertarse, nuestro organismo puede ajustarse a un ritmo definido. Esto ayuda a regular nuestro reloj biológico interno y mejora la calidad del sueño. Por lo tanto, se recomienda seguir esta rutina, incluso los fines de semana, para no perturbar el ciclo natural del sueño.

2. Crear un entorno adecuado

Para disfrutar de un sueño más saludable, es importante garantizar un entorno cómodo y propicio para dormir. Elija una cama y almohadas cómodas que brinden un buen soporte a su cuerpo. Oscurezca la habitación para eliminar el exceso de luz que pueda perturbar su sueño. Mantenga la temperatura de la habitación a unos 18-20 grados Celsius, ya que condiciones demasiado calientes o frías pueden dificultar conciliar el sueño. Además, crear un ambiente tranquilo le ayudará a evitar distracciones y a concentrarse en el descanso.

3. Evitar estimulantes

El consumo de cafeína, alcohol y nicotina puede tener un impacto negativo en el sueño. La cafeína, presente en el café, el té, las bebidas energéticas y el chocolate, es un estimulante potente que puede dificultar conciliar el sueño. Aunque el alcohol puede favorecer el sueño, perturba la fase de sueño REM, lo que conduce a una calidad de sueño inferior. La nicotina contenida en los cigarrillos también actúa como estimulante, dificultando conciliar el sueño. Se recomienda limitar el consumo de estas sustancias, especialmente por la tarde y noche, para permitir que nuestro organismo entre naturalmente en modo de descanso.

4. Actividad física regular

La actividad física regular tiene un impacto positivo en el sueño. El ejercicio contribuye a fatigar el cuerpo, facilitando así conciliar el sueño y lograr un sueño más profundo. Ejercicios regulares como correr, nadar, andar en bicicleta o levantar pesas pueden ayudar a regular el ciclo de sueño y mejorar su calidad. Sin embargo, evitemos hacer ejercicio intenso justo antes de acostarnos, ya que puede generar un aumento de energía y dificultar conciliar el sueño.

5. Relajarse antes de dormir

Practicar técnicas de relajación antes de acostarse puede ayudarnos a relajarnos y prepararnos para el sueño. La meditación, la respiración profunda o leer un libro son solo algunos ejemplos de métodos de relajación efectivos. Estas actividades nos ayudan a calmar la mente, reducir las tensiones y el estrés, facilitando la conciliación del sueño y mejorando la calidad del mismo. Evitemos actividades emocionantes que puedan estimular la mente antes de acostarnos, como ver películas estimulantes o utilizar dispositivos electrónicos.

6. Evitar siestas largas durante el día

Si experimentamos problemas para dormir por la noche, es recomendable evitar siestas largas durante el día. Las siestas prolongadas pueden perturbar el ritmo natural del sueño y dificultar conciliar el sueño nocturno. Si sentimos la necesidad de una siesta, intentemos limitarla a unos 20-30 minutos y tomarla más temprano en el día para no perturbar nuestro descanso nocturno.

La Importancia del Descanso y la Relajación para la Regeneración del Cuerpo y la Mente

El descanso y la relajación desempeñan un papel sumamente importante en la regeneración tanto del cuerpo como de la mente. Permíteme explicarte su importancia.

Cuando enfrentamos a diario el estrés, la presión y un ritmo de vida acelerado, nuestro cuerpo y nuestra mente están constantemente bajo presión. Sin un descanso y relajación adecuados, no tenemos ninguna posibilidad de regenerarnos completamente y renovarnos.

1. Regeneración del Cuerpo

Durante el descanso y la relajación, nuestro cuerpo tiene la oportunidad de regenerarse y repararse. En este momento, cuando estamos físicamente tranquilos, nuestros tejidos y células tienen tiempo para reconstruirse y renovarse. La regeneración del cuerpo ayuda a reducir el estrés, aumentar la energía, fortalecer el sistema inmunológico y mejorar el funcionamiento de los órganos internos. Cuando nos permitimos una cantidad adecuada de sueño y momentos de relajación pacífica, nuestro cuerpo puede regenerarse completamente, y experimentamos un aumento en la vitalidad y un mejor bienestar.

2. Regeneración de la Mente

Nuestra mente también necesita tiempo para regenerarse. El trabajo mental intenso, el estrés y la concentración constante pueden llevar a la fatiga mental y a una disminución del rendimiento cognitivo. El descanso y la relajación permiten que nuestra mente se relaje, se desconecte de las preocupaciones diarias y recupere su equilibrio. Es durante estos momentos de relajación que nuestra mente puede descansar verdaderamente, y podemos ganar claridad de pensamiento, creatividad, concentración y eficacia.

Además, la relajación y el descanso tienen un impacto en la regulación de las hormonas del estrés, como el cortisol. Cuando estamos en un estado de relajación, los niveles de cortisol disminuyen, lo que se traduce en una reducción del estrés y un reequilibrio hormonal.

Por eso es tan importante que encontremos tiempo para la relajación y el descanso en nuestra rutina diaria. Puede ser un momento dedicado a la meditación, la lectura de un libro, escuchar música favorita, dar paseos en la naturaleza o practicar actividades recreativas. La elección es individual, pero es esencial que nos otorguemos regularmente momentos de respiración.

Recordemos que la relajación y el descanso son esenciales no solo para nuestra salud, sino también para alcanzar nuestro máximo potencial y encontrar satisfacción en la vida. Es importante cuidarnos tanto física como mentalmente a través de prácticas regulares y conscientes de relajación y descanso.

Ejercicio práctico

Ejercicio 1. Moverse durante el trabajo

Si pasas la mayor parte de tu tiempo sentado en tu escritorio, haz pausas para realizar algunos ejercicios cortos. Levántate, estírate, haz algunos squats, flexiones o elevaciones de talones. Incorpora el movimiento en tu día, incluso si tienes un trabajo sedentario. Esto ayudará a mejorar la circulación sanguínea, a relajar los músculos tensos y a aumentar tu energía. Elige uno de los siguientes ejercicios e incorpóralo en tu rutina diaria:

• Squats (Sentadillas)

Levántate de tu escritorio y haz algunas sentadillas. Mantente erguido, separa los pies al ancho de las caderas, luego dobla lentamente las rodillas bajando tu cuerpo. Asegúrate de mantener una buena postura y de mantener el peso en tus talones. Realiza de 10 a 15 repeticiones y luego vuelve a tu escritorio.

• Estiramientos de brazos y espalda

Mantente derecho y junta las manos frente a ti, estirando los brazos hacia adelante. Luego, estira suavemente los brazos y la espalda inclinándote hacia adelante. Mantén durante 10 a 15 segundos, luego regresa a la posición inicial. Repite este ejercicio varias veces para relajar los músculos tensos de los brazos y la espalda.

• Marcha en el lugar

Si no puedes dar un breve paseo, camina en el lugar durante unos minutos. Levanta las rodillas alto y agita enérgicamente los brazos. Este ejercicio ayudará a estimular la circulación sanguínea, aumentar la oxigenación de tu cuerpo y darte energía.

• Torsiones del torso

Siéntate en tu silla y gira el torso en una dirección mientras mantienes las caderas inmóviles. Mantén durante unos segundos, luego vuelve a la posición inicial. Repite lo mismo en la otra dirección. Las torsiones del torso ayudan a estirar los músculos del abdomen y la espalda, así como a mejorar la flexibilidad.

• Elevación de piernas

Siéntate en tu silla y levanta una pierna estirándola hacia adelante. Mantén durante unos segundos, luego baja la pierna y repite lo mismo con la otra pierna. Este ejercicio contribuye al fortalecimiento de los músculos de las piernas y a mejorar la circulación sanguínea.

Ejercicio 2. Planificación de las comidas semanales

El objetivo de este ejercicio es planificar comidas saludables y equilibradas para toda la semana, lo que te ayudará a mantener una buena condición física y emocional. Al planificar tus comidas, tienes un mejor control sobre tu alimentación, evitas elecciones impulsivas y garantizas a tu cuerpo los nutrientes necesarios. También ahorras tiempo y reduces el estrés relacionado con la toma diaria de decisiones sobre las comidas. Para ayudarte en este ejercicio, puedes seguir los pasos a continuación:

1. Prepárate para la planificación:

• Encuentra un momento tranquilo y apacible donde puedas concentrarte en la planificación de las comidas.

• Prepara un cuaderno, un calendario de comidas o una aplicación en tu teléfono para registrar tus planes alimenticios.

2. Reflexiona sobre tus objetivos nutricionales:

• ¿Cuáles son tus objetivos de salud? ¿Quieres perder peso, aumentar la masa muscular, mejorar tu rendimiento físico?

• ¿Tienes restricciones alimentarias o preferencias?

3. Determina tus necesidades calóricas:

• Utiliza una calculadora en línea o consulta a un nutricionista para determinar tus necesidades calóricas diarias.

- Distribuye las calorías de manera equilibrada entre las comidas, teniendo en cuenta las necesidades de proteínas, carbohidratos y grasas.

4. Planifica tus comidas para toda la semana:

- Selecciona un menú para cada día de la semana, incluyendo desayunos, almuerzos, cenas y snacks.

- Asegúrate de que tus comidas sean variadas en términos de nutrientes, colores y sabores.

Utiliza productos de temporada para aprovechar su frescura y sabor.

5.Elabora una lista de compras:

- En base a tus comidas planificadas, elabora una lista de los ingredientes necesarios.

- Asegúrate de tener todo lo necesario antes de comenzar la preparación de las comidas.

Ejercicio 3. Diario de sueño

Un diario de sueño es una herramienta útil para monitorear y analizar la calidad de tu sueño. Te ayudará a identificar patrones de sueño, factores que afectan tu descanso y proporcionará información valiosa sobre tu bienestar general y tu nivel de energía a lo largo del día. Así es cómo puedes empezar a llevar un diario de sueño:

1. Encuentra un cuaderno adecuado o una aplicación en la que llevarás tu diario de sueño. También puedes crear una tabla que facilite la entrada de información. Divide la página en secciones como "Hora de acostarse", "Hora de quedarse dormido", "Duración del sueño", "Número de despertares", "Calidad del sueño" (por ejemplo, en una escala de 1 a 10), "Sueños", "Actividad física antes de acostarse", "Alimentación antes de acostarse", etc.

2. Antes de acostarte o después de despertarte, anota la información sobre tu sueño en las columnas correspondientes. Registra la hora a la que te acuestas y te despiertas, el tiempo que tardas en conciliar el sueño, el número de despertares

durante la noche y sus causas. Evalúa la calidad de tu sueño según tu bienestar al despertar. Anota si tuviste sueños. También registra si hiciste ejercicio físico antes de dormir y cómo fue tu alimentación antes de acostarte.

3. Revisa regularmente tus registros y busca patrones y correlaciones. Hazte preguntas como: ¿Hay una conexión entre la calidad del sueño y el ejercicio físico o la alimentación antes de dormir? ¿Las horas de sueño afectan tu bienestar durante el día? ¿Qué factores pueden perturbar tu sueño? También puedes crear gráficos o tablas para visualizar mejor los datos recopilados.

4. Sobre la base del análisis de los datos recopilados, toma decisiones informadas sobre tu estilo de vida y tu rutina de sueño. Experimenta haciendo cambios en las horas de sueño, en la rutina antes de acostarte, eliminando estimulantes o ajustando la temperatura en la habitación. Observa cómo afectan estos cambios a la calidad de tu sueño y tu bienestar general.

Recuerda que llevar un diario de sueño es un proceso que requiere paciencia y constancia. Analiza tus datos, aprende de tus preferencias y necesidades de sueño, y luego toma decisiones adecuadas. Sé consistente y observa cómo tiene un impacto positivo en tu salud y bienestar.

Resumen

- Elija comidas equilibradas ricas en nutrientes, evite los alimentos procesados y limite el consumo de sustancias perjudiciales como las grasas trans y el azúcar añadido.

- Incorpore diversas formas de actividad física en su vida, como ejercicio aeróbico, entrenamiento de fuerza, flexibilidad y resistencia, para mejorar su condición física y fortalecer su cuerpo.

- Asegúrese de dormir lo suficiente, utilice técnicas de relajación, meditación y respiración para reducir el estrés y la tensión.

- Mantenga un horario de sueño regular, cree un entorno propicio para dormir, evite los estimulantes y las siestas largas durante el día para garantizar un sueño más saludable y reparador.

- Tómese el tiempo para cuidarse, realice actividades que le brinden placer y relajación, encuentre un equilibrio entre el trabajo y el descanso.

- Cuidar adecuadamente de su cuerpo y mente es esencial para el bienestar emocional, lo que afecta la condición general y la calidad de vida.

- Recuerde que la buena condición física y emocional van de la mano. Realice cambios en su estilo de vida que cuiden tanto de su cuerpo como de su mente para lograr armonía y equilibrio.

Capítulo 10. Resumen: Cómo poner en práctica estos enseñamientos y tener éxito en la vida

"No es suficiente soñar con el cambio, hay que actuar.

El éxito es la suma de pequeños esfuerzos repetidos día tras día."

- Robert Collier

El final de este libro no marca el fin de tu desarrollo ni de la búsqueda de tus sueños. Por el contrario, es el comienzo de una aventura extraordinaria que te ayudará a alcanzar aún más éxito y a realizar tus sueños. Por lo tanto, te animo a volver regularmente a este libro después de haberlo terminado. Recuerda los ejercicios que te inspiraron y motivaron a seguir adelante. Aprende a utilizar la fuerza interior que descubriste al trabajar en ti mismo, establece nuevos objetivos y los pasos necesarios para alcanzarlos. No olvides que cada día es una nueva oportunidad para crecer y realizar tus sueños. Trabaja en ti mismo y en tu motivación interior, y verás cómo tu vida se llena de cambios positivos. Siempre puedes regresar a este libro y asumir nuevos desafíos para seguir desarrollándote. Creo en ti y en tu fuerza, ¡buena suerte en la realización de tus sueños!

Milton Keynes UK
Ingram Content Group UK Ltd.
UKHW020253221123
432980UK00018B/1407